- finir un projet
  - commencer et mener à la fin

- sociale dire bonjour je m'appelle -veux - tu jouer avec moi

marcher sur une ligne
sauter un pied
reconnaître les couleurs

- suivre les instructions
- se concentrer

Bricolage
avec plasticine et paille
faire construction

Préparez votre enfant à l'école

p. 10 moulin à vent / tournesol sur dos quatre pattes

/ livre sur tête

/ jeu avec mouchoir Kleenex

marcher et frapper } lentement, vite

– jouer au docteur avec règle } nommer parties du corps

comme cheville, cou, hanche

– nommer parties du corps

Conception graphique de la couverture: Nancy Desrosiers
Illustration: Image Bank/Rosanne Percivalle

DISTRIBUTEURS EXCLUSIFS:

- Pour le Canada et les États-Unis:
  LES MESSAGERIES ADP*
  955, rue Amherst, Montréal H2L 3K4
  Tél.: (514) 523-1182
  Télécopieur: (514) 939-0406
  * Filiale de Sogides Ltée

- Pour la Belgique et le Luxembourg:
  PRESSES DE BELGIQUE S.A.
  Boulevard de l'Europe 117
  B-1301 Wavre
  Tél.: (10) 41-59-66
  (10) 41-78-50
  Télécopieur: (10) 41-20-24

- Pour la Suisse:
  TRANSAT S.A.
  Route des Jeunes, 4 Ter
  C.P. 125
  1211 Genève 26
  Tél.: (41-22) 342-77-40
  Télécopieur: (41-22) 343-46-46

- Pour la France et les autres pays:
  INTER FORUM
  13, rue de la Glacière, 75624 Paris Cédex 13
  Tél.: (33.1) 43.37.11.80
  Télécopieur: (33.1) 43.31.88.15
  Télex: 250055 Forum Paris

LOUISE DOYON

Préparez votre enfant à l'école

500 jeux psychomoteurs pour les enfants de 2 à 6 ans

dès l'âge de 2 ans

Édition revue et corrigée

Données de catalogage avant publication (Canada)

Doyon-Richard, Louise, 1943-

Préparez votre enfant à l'école dès l'âge de 2 ans: 500 jeux psychomoteurs pour les enfants de 2 à 6 ans

ISBN 2-7619-1040-0

1. Jeux éducatifs. 2. Éducation psychomotrice. 3. Éducation préscolaire — Participation des parents. 4. Aptitude à la scolarité. I. Titre.

LB1140.35.E36D69 1992 371.3'97 C92-096785-X

Dépôt légal: 3e trimestre 1992
Bibliothèque nationale du Québec

ISBN 2-7619-1040-0

INTRODUCTION

À la suite de nombreuses observations, l'expérience nous a montré que plusieurs de nos enfants auraient avantage à acquérir, au cours de la période préscolaire incluant l'année de maternelle, certaines aptitudes qui leur faciliteraient l'apprentissage scolaire. Pour apprendre à lire, à écrire et à calculer, l'enfant doit avoir acquis des habiletés et des comportements de base qui font partie de certaines activités psychomotrices.

Il nous a semblé qu'il serait facile de mieux préparer l'enfant à l'école si nous fournissions les outils nécessaires aux parents et à tous ceux qui ont la responsabilité d'enfants (enseignants, éducateurs en garderies privées et scolaires, animateurs en milieu hospitalier, etc.). Ce qui a presque toujours été dit dans des termes techniques est ici exposé à l'aide de jeux intéressants, utiles et simples à exécuter. Les notions abordées sont expliquées clairement et brièvement au début de chaque chapitre afin que l'adulte saisisse le but précis des exercices et des jeux proposés. D'usage courant et peu coûteux, le matériel requis pour les jeux est à la portée de tous.

Ainsi, tout en s'amusant, l'enfant acquiert, au moyen de ces exercices, les notions de base essentielles à son futur apprentissage. Si cette étape d'évolution est négligée, toute lacune dans l'acquisition de ces notions de base devra être comblée au moment de l'entrée en première année; on constatera alors que l'enfant accuse des retards sérieux dont les conséquences sont tout aussi sérieuses.

Les parents et éducateurs éviteront ainsi ces reprises pénibles pour les enfants en les préparant mieux à l'école. Ils leur rendront un service appréciable en les plaçant, non devant un échec probable, mais devant des succès encourageants.

Trop d'enfants risquent de se heurter à des difficultés de lecture en raison d'un retard de langage ou de problèmes d'ordre psychomoteur (enfants mal latéralisés, inhibés, mal à l'aise dans leur corps, etc.). Il en va de même pour l'orthographe dont les difficultés peuvent dériver d'une mauvaise mémoire visuelle, d'une attention insuffisante, d'erreurs d'identification des lettres, de leur forme, de leur orientation et de leur place dans la syllabe ou le mot, d'une compréhension imparfaite du langage, d'une déficience auditive légère et autres.

Les exercices proposés dans ce livre ont été conçus pour les enfants de deux à six ans et pour ceux, plus âgés, qui présenteraient encore des difficultés. Tous les exercices, par contre, ne peuvent être faits dès l'âge de deux ans. Vous trouverez à l'intérieur de certains chapitres des exercices suggérés pour différentes catégories d'âge. Mais ces étapes d'évolution ne sont pas rigides et doivent être considérées comme des points de repère puisque le rythme de développement varie d'un enfant à l'autre.

Le livre contient plus de cinq cents jeux, répartis à l'intérieur de chacun des chapitres selon un degré de difficulté croissante. Il est important de suivre le rythme propre à l'enfant, de l'inviter à participer sans le forcer, de ne pas prolonger indûment la durée des activités. Les exercices, s'ils sont repris fréquemment, amèneront l'enfant à une certaine maîtrise de ces préalables, car la répétition lui permet de renforcer des acquis. On sait que l'enfant doit pouvoir essayer plusieurs fois, répéter, recommencer, se tromper pour acquérir de l'habileté.

Soulignons enfin que tous les chapitres doivent être vus simultanément et non les uns à la suite des autres. Nous vous suggérons donc de préparer une leçon par jour, en veillant à ce que chaque champ d'apprentissage soit représenté. Prévoyez également le matériel pour éviter des arrêts qui risqueraient de démotiver l'enfant. Commencez par des exercices qu'il aime et qui l'inciteront à continuer. Évitez de dire à l'enfant: «Viens, on va travailler»; laissez-le plutôt croire qu'il joue avec vous et pour cela, faites les exercices avec lui. L'enfant vous imitera volontiers, et on sait le rôle que joue l'imitation de l'adulte dans l'apprentissage de l'enfant. Félicitez-le souvent car le sentiment du succès incite à poursuivre l'effort. Il est également important de tirer profit de toutes les situations quotidiennes, visites, sorties en voiture, événements inhabituels, pour amener l'enfant à se développer. N'oubliez pas qu'il éprouve un amour inné pour le jeu et qu'il sera très motivé par ces exercices. Tout en lui donnant l'occasion de se structurer, ces activités ludiques serviront à la fois son développement physique, son développement affectif et son développement intellectuel. Invitez un ou deux amis à y participer; s'il n'est pas très motivé, l'enfant sera porté à imiter, profitera mieux des expériences et trouvera là une excellente occasion de se socialiser.

Nous recommandons aux parents désireux de faire vivre ces exercices à leur enfant de lui procurer des livres de contes (qui lui donneront le goût de la lecture), un cahier dans lequel il pourra coller et travailler, des feuilles de papier de différentes tailles et couleurs, des crayons, des crayons feutres et des crayons à colorier de formats variés*. Par ailleurs, ce livre n'étant pas conçu comme un cahier d'exercices pratiques dans lequel l'enfant pourrait travailler directement, nous suggérons aux parents de photocopier et d'agrandir les illustrations destinées à être coloriées ou découpées. Nous vous invitons également à installer un tableau d'affichage sur le mur de sa chambre pour y épingler les réalisations de l'enfant, ce qui vous permettra de les montrer aux parents et amis et de valoriser votre petit. Ne détruisez pas tout. L'enfant aime fabriquer des objets pour les parents; utilisez-les comme décoration.

Nous n'avons pas la prétention d'innover en vous présentant ce livre, et encore moins d'apporter des solutions miracles à tous les problèmes. Notre intention est de faire prendre conscience aux parents que l'enfant, avant d'apprendre les matières enseignées à l'école, doit posséder certaines habiletés essentielles à l'apprentissage scolaire. Développer ces préalables constitue une mesure préventive sage car de nombreux enfants présentent des lenteurs psychomotrices en deuxième, troisième, quatrième années, en raison d'une préparation inadéquate. C'est pourquoi il est nécessaire de les préparer à l'école dès leur plus jeune âge.

---

* Vous trouverez dans le chapitre sur la motricité fine, aux numéros 14 et 26 (pages 28 et 30), les recettes de la pâte à modeler et de la peinture aux doigts.

Si l'enfant présente de sérieux problèmes de psychomotricité, de langage ou de communication, n'hésitez pas à consulter des spécialistes avant l'âge scolaire. Centres médicaux, services sociaux, commissions scolaires, organismes pour enfants souffrant de troubles d'apprentissage (Association québécoise pour enfants en troubles d'apprentissage — AQETA) seront en mesure de vous guider vers les intervenants aptes à répondre aux besoins spécifiques de l'enfant. Il existe également des centres de stimulation précoce pour les enfants qui présentent une déficience intellectuelle ou psychomotrice. Nous vous suggérons aussi de faire examiner la vue et l'ouïe de l'enfant avant son entrée à l'école.

Enfin, nous espérons que ce livre vous aidera à préparer l'enfant à l'apprentissage scolaire en lui donnant des bases solides.

CHAPITRE PREMIER

MOTRICITÉ GLOBALE

La motricité globale comprend l'ensemble des mouvements importants que l'enfant doit acquérir. Durant les six premières années de sa vie, il doit apprendre à s'asseoir, à se tenir debout, à ramper, à marcher à quatre pattes, à rouler, à grimper, à marcher, à courir, à sautiller, à sauter, à galoper, à tirer, à pousser. Tous ces mouvements doivent être exécutés avec coordination, harmonie et raffinement. L'enfant doit donc, au cours de ces années, apprendre à faire ces mouvements avec souplesse, précision, rapidité et équilibre.

L'évolution des possibilités motrices de l'enfant se produit de façon rapide, progressive et continue. Plus il grandit, plus elles sont variées et complètes. Ces habiletés constituent la base de ses activités ludiques et lui procurent la coordination nécessaire à l'apprentissage de l'écriture et de la lecture. En effet, les exercices de motricité globale créent un terrain favorable à l'évolution de la motricité fine qui, quant à elle, nécessite un contrôle des membres supérieurs.

Les exercices proposés dans ce chapitre ont pour but de permettre à l'enfant d'affiner sa connaissance du mouvement par des jeux d'adresse et de souplesse. Ils permettent également une meilleure coordination des parties importantes du corps (bras, jambes, torse, etc.). Ainsi, l'enfant peut mieux se voir, mieux sentir son corps et il apprend à s'en servir de façon adéquate. Bien coordonné, il aura un geste harmonieux et deviendra, en outre, plus adroit à table, prendra moins de temps pour s'habiller, etc.

Par exemple, en marchant sur une ligne sans mettre le pied à côté, l'enfant peut acquérir un certain équilibre. Le contrôle de l'équilibre favorise une habileté plus grande dans toutes les activités qui requièrent un déplacement du corps ou le maintien d'une position. Soulever un objet avec un pied favorise la dissociation des mouvements, c'est-à-dire qu'un seul membre du corps se trouve en action. Frapper dans ses mains et sauter en même temps impliquent la combinaison de deux mouvements simultanés. Ces exercices favorisent une meilleure harmonie du corps de l'enfant et facilitent les activités sportives et récréatives. Ils éviteront que l'enfant soit mis à l'écart durant les activités sportives en raison d'un manque de confiance en lui et d'un sentiment d'infériorité face aux autres.

Il est important que ces activités aient lieu au début, car elles ont pour but d'augmenter la maîtrise de la motricité globale, première étape du développement psychomoteur de l'enfant. Nous vous invitons également à faire les exercices avec lui et à verbaliser ce que vous ressentez dans votre corps. Cela l'amènera à prendre conscience de la position et des mouvements des différentes parties de son corps et à exprimer oralement ses sensations.

MATÉRIEL: papier journal, ficelle, corde, boîte, cuillère, fourchette, papier d'aluminium, sac de riz, pièce de monnaie, feuilles, couverture, livre, ballon, balle, rondelle de caoutchouc, chaise.

ENFANT DE DEUX OU TROIS ANS

Vers deux ou trois ans, l'enfant contrôle les gestes moteurs suivants: il marche bien, court bien mais tombe parfois, monte un escalier et descend avec appui sans changer de pied, saute à pieds joints, se tient sur un pied pendant deux secondes, fait quelques pas sur le bout des orteils, saute d'un point peu élevé, peut donner un coup de pied, peut plier la taille et les genoux pour ramasser des choses.

EXERCICES

1. L'enfant doit se rendre d'une pièce à une autre:
   a) en marchant à quatre pattes comme le chien;
   b) lourdement comme l'éléphant;
   c) silencieusement comme la souris;
   d) gauchement comme le canard;
   e) en levant la tête le plus haut possible comme la girafe;
   f) d'une manière câline comme le chaton.

2. L'enfant marche en petit bonhomme pour aller chercher un objet placé à une distance déterminée.

3. L'enfant saute comme la grenouille en imitant son cri (coassement).

4. L'enfant passe sous la table en rampant (avec l'aide des mains et des pieds) sur le ventre et revient en rampant sur le dos.

5. L'enfant se roule sur le plancher, d'un mur à l'autre.

6. L'enfant marche sur les genoux, le dos bien droit, les bras de chaque côté du corps.

8. L'enfant se cache en boule sous la couverture; au signal, il sort de sa cachette le plus vite possible.

7. L'enfant fait des culbutes.

9. L'enfant se tient sur un pied le plus longtemps possible (environ deux secondes). Puis, il reprend avec l'autre pied.

10. L'enfant tourne comme le moulin à vent, les pieds écartés, les bras tendus de chaque côté sans bouger les pieds.

11. L'enfant marche bien droit en tenant un grand livre sur sa tête.

12. L'enfant marche à quatre pattes en portant le journal sur son dos.

13. L'enfant court à quatre pattes sans mettre les genoux au sol. Il reprend en marche arrière.

14. L'enfant saute comme un polichinelle.

15. L'enfant frappe dans ses mains tout en sautant.

OK

16. L'enfant marche autour de la table sur la pointe des pieds et revient dans l'autre sens en marchant sur les talons.

OK fait

17. L'enfant monte et descend un escalier en vous tenant la main ou en s'appuyant sur la rampe.

OK

18. L'enfant donne des coups de pied dans l'air en utilisant tour à tour la jambe droite et la jambe gauche.

OK

19. L'enfant doit ramasser un objet placé sur le plancher le plus rapidement possible.

OK

20. L'enfant attrape le ballon que vous lui lancez. Dès qu'il réussit, recommencez en vous éloignant un peu plus de lui.

21. L'enfant attend le ballon accroupi et vous le relance en position debout. Reprenez l'exercice en inversant les positions.

22. L'enfant pousse avec un seul pied une boîte de chaussures vide et revient en utilisant l'autre pied.

23. Disposez des pas sur le plancher. L'enfant suit le parcours normalement; puis, il reprend l'exercice sur le bout des orteils.

24. L'enfant court autour de coussins placés sur le plancher sans les toucher.

ENFANT DE TROIS OU QUATRE ANS

Assurez-vous que les exercices précédents sont intégrés avant d'entreprendre les suivants. Vers trois ou quatre ans, l'enfant contrôle les gestes moteurs suivants: il court plus rapidement; il peut s'adapter à des courbes durant la course, monter un escalier en changeant de pied, sauter de vingt-cinq à trente centimètres environ; il se tient en équilibre sur un pied en se balançant (de deux à cinq secondes), conduit le tricycle en pédalant, marche en rythme ou sur une ligne droite.

EXERCICES

1. L'enfant marche en glissant ses pieds sur le plancher. Lorsque vous tapez des mains, il marche en levant les genoux très haut.

2. L'enfant rampe comme la chenille (sans l'aide des mains et des pieds).

3. L'enfant se couche sur le dos et fait de la bicyclette; au début, il pédale lentement puis accélère au fur et à mesure.

4. L'enfant saute sur un pied pendant que vous lui tenez les mains. Puis, il reprend en sautant sur l'autre pied.

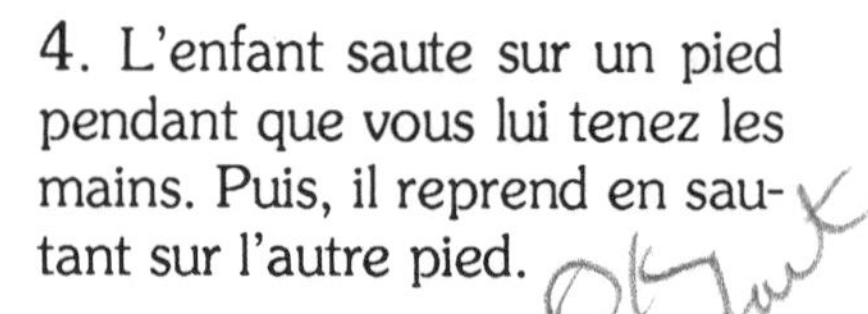

5. L'enfant marche sur les mains pendant que vous lui soulevez les pieds. Reprenez l'exercice de la brouette en variant le rythme.

6. L'enfant marche sur «trois pattes» en tenant une cuillère dans une main. Puis, il recommence l'exercice en tenant la cuillère dans l'autre main.

7. L'enfant court chercher la boule de papier d'aluminium que vous avez lancée et la rapporte en marchant lentement comme la tortue. Il reprend en sautant à pieds joints comme le lièvre.

8. L'enfant place un sac en plastique rempli de riz sur son pied et essaie de le soulever. Il recommence avec l'autre pied.

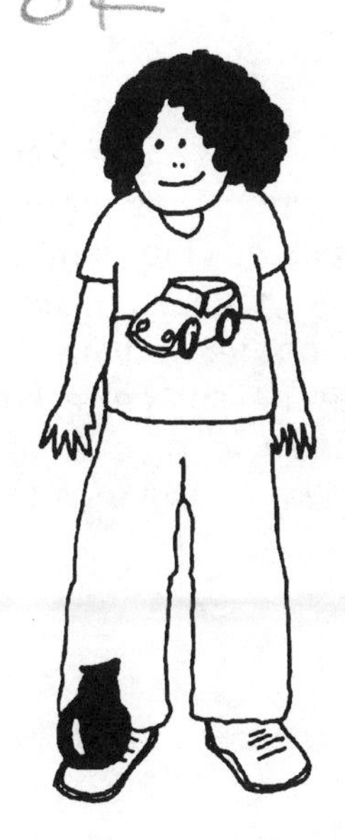

9. L'enfant marche, un bras allongé, en portant sur le dos de sa main une cuillère. Il reprend ensuite avec l'autre bras.

10. En position debout, l'enfant dépose une pièce de monnaie devant son pied droit avec sa main gauche, puis devant son pied gauche avec sa main droite. Il reprend en plaçant la pièce derrière son pied.

11. Tracez une ligne droite d'environ trois mètres de longueur et cinq centimètres de largeur sur le plancher, avec du papier journal. L'enfant marche sur cette ligne sans mettre le pied à côté, puis revient à reculons.

12. Tracez deux lignes sur le plancher à quinze centimètres l'une de l'autre, et d'une longueur de trois mètres environ. L'enfant marche entre ces lignes sans les toucher et revient à reculons.

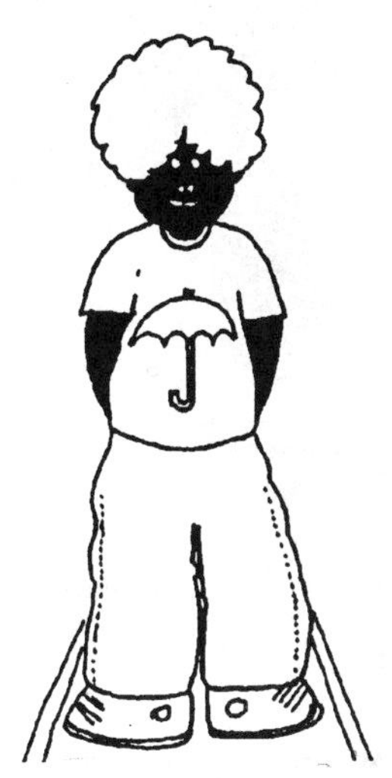

13. Formez sur le plancher un cercle d'environ deux mètres cinquante de circonférence avec une ficelle. L'enfant saute à pieds joints à l'intérieur et à l'extérieur du cercle. Puis, il reprend sur un pied.

14. Disposez cinq feuilles de trente centimètres carrés sur le plancher, espacées de vingt-cinq à trente centimètres. L'enfant saute par-dessus, à pieds joints. Ensuite, il reprend en sautant cette fois-ci sur les feuilles.

15. L'enfant court sans toucher différents obstacles (chaises) disposés dans la pièce.

16. L'enfant monte et descend un escalier sur un seul pied. Il reprend l'exercice avec l'autre pied.

ENFANT DE QUATRE OU CINQ ANS

Assurez-vous que les exercices précédents sont bien intégrés avant de commencer les suivants. Vers quatre ou cinq ans, l'enfant ressent un grand besoin de bouger. Il aime mettre à l'épreuve ses limites et découvrir les possibilités de son corps; il acquiert une plus grande harmonie dans les gestes et apprend des mouvements plus complexes: sautiller, galoper, sauter de différentes manières; il peut se tenir sur un pied avec le corps plié, descendre l'escalier en changeant de pied et monter en courant; il devient plus vif dans tous ses mouvements.

EXERCICES

1. L'enfant monte sur une chaise et saute dans un cercle tracé par terre avec une ficelle.

2. L'enfant frappe un ballon placé sur le sol tout en courant.

3. L'enfant lance une balle sur le sol avec une main et la rattrape avec l'autre.

4. L'enfant saute, sur une distance de quinze pas, sur un pied, la main droite posée sur la cuisse droite et la main gauche posée sur la cuisse gauche.

5. L'enfant saute sur un pied en poussant une rondelle de hockey.

6. L'enfant se tient accroupi sur la pointe des pieds avec les bras écartés. Ensuite, il reprend le même exercice les yeux fermés.

7. L'enfant se tient accroupi et saute sur la pointe des pieds. Puis il recommence, les yeux fermés.

8. L'enfant saute par-dessus une corde tendue. Il refait l'exercice en variant la hauteur.

9. Organisez un parcours où l'enfant devra marcher, courir, passer par-dessus un banc, sous une chaise, etc. Chronométrez le temps utilisé pour effectuer le parcours et faites-le-lui reprendre plus rapidement.

10. Organisez des exercices de course (course de relais, sauts divers, etc.).

CHAPITRE II

MOTRICITÉ FINE*

La motricité fine, comme son nom l'indique, vise à développer les mouvements fins qui permettent un meilleur contrôle et une meilleure coordination des doigts, des mains, des yeux, etc. Si la motricité globale concerne principalement les membres inférieurs, la motricité fine, elle, tend à renforcer les membres supérieurs. Ces exercices sont essentiels pour l'apprentissage de l'écriture, habileté qui inclut un aspect perceptif et un aspect moteur. Comment l'enfant pourrait-il tenir adéquatement un crayon et reproduire des signes précis, dans un espace restreint, de gauche à droite, s'il n'a pas au préalable fait des exercices de préhension, de manipulation et d'expression créatrice tels que prendre de petits objets avec les doigts, découper, coller, enfiler, etc.?

Les exercices de motricité fine visent donc à améliorer, à régulariser et à installer une plus grande finesse dans tous les gestes de l'enfant, lui permettant ainsi de travailler avec plus de précision, plus de facilité et de détente.

MATÉRIEL: ballon, balle, billes, cubes, pots, bouts de laine, pièces de monnaie, soulier, fil, laine, cure-dents, vis et écrous, bas, vêtement, ciseaux, pinceau, crayon de cire, crayon, règle,

---

* Le chapitre XV, consacré à l'expression graphique, comprend également plusieurs activités de motricité fine.

revue, feuilles de papier, aiguille, tissus, boutons, macaronis, trombones, verres, essuie-tout, rouleaux de papier hygiénique, attaches pour sacs de pain, pinces à linge, pince à sourcils, compte-gouttes, riz, pailles, élastique, farine, colorant à gâteaux.

ENFANT DE DEUX OU TROIS ANS

Vers deux ou trois ans, l'enfant contrôle les gestes de préhension et de manipulation suivants: il se sert alternativement des deux mains; il aligne les objets horizontalement et construit une tour de six ou sept cubes; il aime à visser et à dévisser; il peut ouvrir les portes; il accroît son adresse pour emboîter, démonter, réajuster; il aime remplir, creuser, vider, broyer, écraser, dribbler, manipuler les objets qui bougent, qui tournent, les objets mécaniques; il expérimente la peinture aux doigts en barbouillant la table, ses mains, son visage.

EXERCICES

1. L'enfant trace des cercles dans l'air avec un bout de laine d'environ quarante centimètres de long. Il débute avec le bras droit et reprend avec le gauche, dans le sens des aiguilles d'une montre, puis dans l'autre sens. (Rien ne bouge, à part le bras.) Il recommence l'exercice en tenant une balle dans la main.

2. L'enfant trace des cercles dans l'air avec le poignet et la main seulement; le bras doit demeurer serré contre le tronc. Il recommence en tenant une balle dans la main.

3. L'enfant fait rebondir devant lui un ballon d'environ vingt-deux centimètres de circonférence en le frappant tour à tour de la main gauche, puis de la main droite.

4. L'enfant lance un ballon le plus loin possible, le plus haut possible, le plus fort possible contre le mur. Il fait l'exercice en utilisant d'abord les deux mains, puis la main droite seule, ensuite la main gauche seule. OK

5. L'enfant lance un ballon de façon à renverser des rouleaux vides de papier essuie-tout ou de papier hygiénique que vous avez placés sur le plancher (comme dans un jeu de quilles).

6. L'enfant griffe la table comme un petit chat.

7. L'enfant enfonce des chevilles de bois dans les trous de différentes grosseurs d'une planche de bois.

8. L'enfant aligne des cubes horizontalement. Il reprend en dessous de façon symétrique.

9. L'enfant construit une tour de cinq ou six cubes. Il reprend à côté de façon symétrique. OK

10. L'enfant assemble des vis et des écrous.

11. L'enfant visse et dévisse les couvercles de pots de différents formats.

12. L'enfant retourne ses bas à l'envers.

13. L'enfant enfile des boutons sur une ficelle.

14. Préparez de la pâte à modeler en mélangeant 750 mL de farine, 250 mL de sel, 250 mL d'eau (avec un peu de colorant) et 15 mL d'huile. (Cette pâte peut se conserver dans le réfrigérateur.) L'enfant peut:

a) étendre la pâte avec un rouleau à pâte;
b) créer un cendrier en pressant la pâte avec le pouce;
c) confectionner des boules de différentes grosseurs en roulant la pâte dans la paume des mains;
d) modeler des serpents de différentes longueurs en roulant la pâte sur la table;
e) faire des biscuits en aplatissant la pâte;
f) façonner un bonhomme de neige avec des boules de différentes grosseurs.

15. L'enfant tamise de la farine sans en renverser.

16. À l'aide d'une salière vide, l'enfant fait le mouvement de saler et de poivrer.

17. L'enfant transvase de l'eau d'un verre à l'autre sans en renverser. Il reprend l'exercice avec des grains de riz.

18. L'enfant met des sous dans sa tirelire ou dans une boîte sur laquelle on a découpé une fente.

19. L'enfant met des pinces à linge autour d'une boîte à chaussures.

20. L'enfant prend de l'eau dans un bol, à l'aide d'un compte-gouttes, et vide le compte-gouttes dans un autre bol.

21. L'enfant plie en deux puis en quatre une serviette à mains, un essuie-tout ou un mouchoir en papier, en prenant soin de bien ajuster les coins ensemble.

22. L'enfant développe des billes recouvertes de papier.

23. L'enfant ouvre les lettres et colle les timbres chaque fois que l'occasion se présente.

24. L'enfant fait passer des enveloppes par la fente taillée sur le couvercle d'une boîte à chaussures.

25. Apprenez à l'enfant à tourner soigneusement les pages de ses livres d'histoires.

26. Préparez de la peinture aux doigts en mélangeant 250 mL d'empois, 250 mL d'eau, 750 mL de poudre de savon et du colorant alimentaire. À l'aide de cette préparation, l'enfant fait des dessins avec ses doigts sur une feuille blanche. Ensuite, il trace des courbes, des droites, des obliques, etc. Il reprend avec de la gouache. (Épinglez des feuilles au mur pour permettre à l'enfant de peindre, de dessiner et d'écrire sur une surface verticale.)

ENFANT DE TROIS OU QUATRE ANS

Assurez-vous que les exercices précédents sont bien intégrés avant de commencer les suivants. Vers trois ou quatre ans, l'enfant devient plus habile à faire les gestes de préhension et de manipulation suivants: il contrôle davantage ses mouvements; il aime verser; il peut construire une tour de huit à dix cubes, imiter un modèle simple, déboutonner, tracer deux lignes croisées, encercler un objet; il commence à tracer des formes géométriques simples.

EXERCICES

1. L'enfant fait rebondir devant lui, en frappant d'une seule main, un ballon d'environ quarante centimètres de circonférence. Il recommence en alternant la main droite et la main gauche, puis en marchant.

2. Assis, l'enfant fait rouler le ballon autour de lui à l'aide de ses deux mains.

3. Avec le pouce de la même main, l'enfant touche l'une après l'autre l'extrémité de tous ses doigts. Il recommence avec l'autre main. Cet exercice doit être repris jusqu'à ce que l'enfant acquière de la vitesse.

4. L'enfant doit toucher la table avec la main, puis avec chacun des doigts, en alternant (le pouce, la main, l'index, la main, le majeur, la main, etc.).

5. L'enfant fait pivoter une pièce de monnaie sur la table à l'aide du pouce et de l'index.

6. L'enfant construit une tour de huit à dix cubes. Il reprend à côté de façon symétrique.

7. L'enfant empile des pièces de monnaie le plus haut possible.

8. L'enfant dépose des pièces de monnaie dans un bassin d'eau et les reprend avec le pouce et l'index.

9. L'enfant enroule du fil autour d'un doigt, deux doigts, trois doigts, puis autour de toute la main.

10. L'enfant ramasse un à un des bâtonnets à café, déposés en tas, à l'aide du pouce et de l'index, puis du pouce et du majeur, et ainsi de suite avec les autres doigts. Il reprend avec des macaronis coupés, des cure-dents, du riz. L'exercice se fait de la même façon avec l'autre main.

11. L'enfant:

a) forme d'une seule main une boulette en froissant un morceau de papier carré de dix centimètres. Il poursuit en formant des boulettes de plus en plus petites, avec des morceaux de papier de sept centimètres, cinq centimètres, trois centimètres carrés;

b) place les boulettes de gauche à droite en ordre de grosseur en commençant par la plus petite jusqu'à la plus grosse;

c) donne des pichenettes aux boulettes en les envoyant le plus loin possible.

12. L'enfant recouvre un rouleau de papier hygiénique avec une feuille de papier essuie-tout et referme les extrémités comme une papillotte.

13. L'enfant délace son soulier et passe le lacet dans les œillets.

14. L'enfant fait des nœuds à l'aide d'une corde.

15. L'enfant boutonne et déboutonne sa veste; il attache les boutons-pression.

16. L'enfant taille des crayons.

17. L'enfant perfore des feuilles de papier.

18. L'enfant façonne divers objets avec de la pâte à modeler. Par exemple, il peut faire un cendrier ou un bougeoir, qu'il enduira de gouache par la suite. (L'enfant doit appliquer la gouache en tamponnant avec son pinceau et non en peinturant.)

19. L'enfant trace des lignes à l'aide d'une règle (assurez-vous qu'il retient la règle au centre).

20. Avec un pinceau, un crayon de cire ou tout autre crayon, l'enfant suit les tracés que vous avez faits préalablement sur une feuille.

21. À l'aide d'un pinceau, d'un crayon de cire ou de tout autre crayon, l'enfant relie les points que vous avez inscrits sur une feuille.

22. L'enfant trace des carrés et des cercles de différentes grandeurs autour des dessins que vous avez faits sur une feuille. Il reprend l'exercice, mais en traçant deux lignes croisées sur les dessins à l'aide d'un pinceau, d'un crayon de cire ou de tout autre crayon.

23. Prévoyez chaque jour une séance de découpage et de collage. L'enfant découpe des images en suivant leur contour et les colle sur une feuille sans faire de bavures.

ENFANT DE QUATRE OU CINQ ANS

Assurez-vous que les exercices précédents sont bien intégrés avant de commencer les suivants. Vers quatre ou cinq ans, l'enfant contrôle les gestes de préhension et de manipulation suivants: il tient mieux le pinceau et travaille avec plus de minutie; il essaie de dessiner des personnages, des animaux, des édifices et ajoute graduellement des détails; il peut découper une ligne droite avec des ciseaux, dessiner une croix, un cercle fermé, un carré de façon reconnaissable, enfiler des perles, s'habiller et se déshabiller seul, faire des boucles.

EXERCICES

1. L'enfant fait rebondir devant lui, en alternant les mains, un ballon d'environ quarante centimètres de circonférence. Il reprend, en alternant, la main droite deux fois, et la main gauche deux fois. Il recommence encore en marchant, en courant en ligne droite, puis en courant en zigzag.

2. Étendu à plat ventre, l'enfant lance un ballon vers vous en le faisant passer sous une chaise.

3. L'enfant lance des billes par pression entre le pouce et le majeur. OK

4. L'enfant monte la fermeture éclair de son manteau.

5. L'enfant passe un élastique autour d'une petite boîte en faisant deux tours.

6. L'enfant tresse trois bouts de laine d'environ quarante centimètres.

7. L'enfant fabrique un collier en enfilant des macaronis. Il refait l'exercice en enfilant des boutons (en alternant gros et petits), ou encore des trombones.

8. L'enfant enfile un bout de laine dans une grosse aiguille et brode le contour d'une forme sur un carton mince.

9. L'enfant enfile une aiguille le plus rapidement possible, puis il la pique sur le dessus et le dessous d'un morceau de tissu.

10. L'enfant change de contenant les grains de riz crus que vous avez mis dans un bol en les transportant avec une pince à sourcils.

11. L'enfant forme un soleil, une maison, etc., en collant des attaches pour sacs à pain sur une feuille. Il refait l'exercice avec des cure-dents, des bouts de laine, etc.

12. L'enfant découpe une feuille de revue en trois, quatre, cinq morceaux ou davantage et essaie de les rassembler comme un casse-tête.

13. L'enfant découpe de belles images dans une revue et les colle de gauche à droite sur une feuille ou dans un cahier. (Faites découper l'enfant régulièrement.)

14. L'enfant dessine des formes géométriques simples (cercle, carré, triangle) et les découpe.

15. Installez régulièrement l'enfant à la table avec des pinceaux, de la gouache, des crayons de couleur. Faites-lui dessiner des personnages, des animaux, des maisons; encouragez-le

à ajouter des détails. (Il est toujours préférable que l'enfant effectue ces activités sur une surface verticale en premier. Si possible, laissez toujours des feuilles affichées sur le mur de sa chambre.)

16. L'enfant apprend à faire des boucles.

CHAPITRE III

SCHÉMA CORPOREL

Le schéma corporel est la représentation que nous avons de notre propre corps. Afin d'en venir à réaliser adéquatement ses mouvements, l'enfant doit prendre conscience de toutes les parties de son corps et distinguer le rapport qu'elles ont entre elles. Ainsi, il pourra mieux coordonner ses gestes, il aura un meilleur équilibre et sera plus apte à s'orienter dans l'espace qui l'entoure. La méconnaissance de son corps provoque chez l'enfant des mouvements inutiles et un manque d'assurance dans ses activités motrices.

Les exercices moteurs décrits dans le chapitre de la motricité globale (page 11) représentent la première étape du développement du schéma corporel. Ils permettent à l'enfant de contrôler ses mouvements et de percevoir son corps globalement, comme un tout. Vient ensuite l'étape de la prise de conscience de chacune des parties de son corps.

Les exercices présentés dans cette section permettent à l'enfant de sentir chacune des parties de son corps et de les situer les unes par rapport aux autres. Ils lui font également prendre conscience des différentes positions qu'il peut leur faire prendre. Enfin, connaissant ces parties, leur nom et leurs possibilités, il peut mieux adapter ses mouvements à l'espace qui l'entoure.

À mesure que l'enfant prendra conscience de son schéma corporel, vous remarquerez une amélioration lorsqu'il dessinera un «bonhomme», car il sera porté à illustrer les membres qu'il a appris à reconnaître et qu'il a souvent mis en mouvement.

MATÉRIEL: miroir, règle, foulard, couverture, revue, ballon, sacs de papier, boutons, laine, crayons de cire, revues, vêtements.

ENFANT DE DEUX OU TROIS ANS

Vers deux ou trois ans, l'enfant explore son corps par l'activité motrice; il situe les objets par une activité globale, identifie et nomme certaines parties de son corps: le ventre, les bras, les jambes, les mains, la tête, le front, le dos, le côté, les pieds. (À cet âge, il est important de favoriser d'abord les exercices de motricité globale, car c'est à travers ces activités que l'enfant découvre son corps.)

EXERCICES

1. Lorsque l'enfant prend son bain, il nomme chaque partie du corps qu'il lave: «Je me lave le nez, le front», etc.

2. Lorsque l'enfant s'habille, il dit où il met chaque vêtement: «Je mets mes bas dans mes pieds, je mets ma tuque sur ma tête, je mets mes mains dans mes mitaines», etc.

3. Habillez-vous devant l'enfant en mêlant l'ordre des vêtements: le soulier sur la tête, le chapeau dans les pieds, le bas dans la main, etc. Après la réaction d'amusement et de surprise de l'enfant, demandez-lui où vous devez mettre chacun des vêtements.

4. L'enfant nomme chacune des parties du corps d'une poupée ou d'un ourson.

5. L'enfant touche et nomme les parties de son corps en se regardant dans le miroir.

6. L'enfant doit guérir, en les touchant avec sa baguette magique (une règle, par exemple), les parties de votre corps qui sont atteintes: mal de tête, blessure à la jambe, au bras, etc.

7. L'enfant bouge les parties du corps que vous nommez. Puis, il refait l'exercice les yeux bandés.

8. Placé face à vous, l'enfant appuie progressivement son front contre le vôtre, son bras, sa jambe, son nez, son genou, son pied, etc.

9. L'enfant cache sous une couverture les parties de son corps que vous nommez.

10. Tracez le contour de la tête de l'enfant et affichez le dessin au mur. Le lendemain, tracez son corps et assemblez-le à la tête. Le jour suivant, recommencez avec les jambes et ainsi de suite en ajoutant chaque jour un nouveau membre. Vous pouvez compléter le dessin en ajoutant des cheveux, un nez, des oreilles, etc.

ENFANT DE TROIS OU QUATRE ANS

Assurez-vous que les exercices précédents sont bien intégrés avant de commencer les suivants. Vers trois ou quatre ans, l'enfant peut situer les objets par rapport à son corps; il affine la perception de son corps, perçoit mieux toutes les parties du visage, reconnaît et nomme davantage de parties: le front, les coudes, le dos, le côté, les pieds, etc.

EXERCICES

1. Prenez différentes postures; l'enfant vous regarde et vous imite.

2. L'enfant marche librement; à votre signal, il s'arrête et touche les deux parties de son corps que vous nommez (exemple: tête, bras), etc.

3. L'enfant énumère les parties du corps qui touchent le plancher:
a) couché sur le dos;
b) couché sur le ventre;
c) à quatre pattes.

4. L'enfant nomme les parties du corps qu'il utilise pour:
a) manger;
b) sentir;
c) entendre;
d) courir;
e) voir;
f) dessiner;
g) ramper;
h) attraper;
i) marcher.

5. À votre demande, l'enfant:
a) sourit;
b) pleure;
c) s'assoit;
d) se couche sur le dos;
e) se couche sur le ventre;
f) se met à genoux;
g) s'accroupit;
h) se lève;
i) saute;
j) tape des mains.

6. L'enfant pousse le ballon avec:
a) la tête;
b) le nez;
c) l'épaule;
d) le genou;
e) le pied;
f) la main;
g) le menton;
h) l'oreille;
i) la cuisse;
j) le talon.

7. Assemblez des sacs de papier afin de former un rectangle plus long que la taille de l'enfant. Faites coucher l'enfant et tracez avec une craie le contour de son corps. Demandez-lui de placer des boutons pour indiquer les yeux, le nez, la bouche et les oreilles. Il peut aussi coller des bouts de laine pour les cheveux et dessiner des vêtements.

8. Dessinez un grand bonhomme incomplet et invitez l'enfant à le compléter.

9. Apprenez à l'enfant la chanson *Savez-vous planter des choux?* Il la chante en imitant les gestes.

10. L'enfant et vous nommez tour à tour une partie différente du corps. Reprenez de plus en plus vite.

11. L'enfant place une serviette à mains ou un foulard sur la tête, sur un bras, sur un pied, sur les genoux...

12. Les yeux bandés, l'enfant nomme la partie du corps que vous lui touchez.

13. Jouez à «Jean dit». Par exemple, «Jean dit: touche ton nez». L'enfant mène le jeu.

ENFANT DE QUATRE ANS OU PLUS

Assurez-vous que les exercices précédents sont bien intégrés avant de commencer les suivants. À partir de quatre ans, l'enfant contrôle mieux son corps; il est plus actif dans ses apprentissages, ce qui l'aide à mieux se situer dans l'espace et à comprendre le monde qui l'entoure.

EXERCICES

1. L'enfant trouve différentes façons de s'asseoir, de se coucher, de rester debout...

2. L'enfant touche au moins trois objets avec différentes parties du corps selon la consigne que vous lui donnez.
Exemple: «Touche trois objets: un avec ta main, un autre avec ton épaule, et un autre avec ton pied.»

3. Jouez à la statue: prenez diverses positions en touchant différentes parties du corps. L'enfant vous imite.

4. L'enfant montre et nomme ce qui l'aide à:
a) tourner la tête (cou);
b) plier le bras (coude);
c) tourner la jambe (hanche);
d) plier la jambe (genou);
e) bouger la main (poignet);
f) bouger le pied (cheville).

5. L'enfant nomme les parties jumelles de son corps: les yeux, les oreilles, les bras, les mains, les jambes, les pieds, les genoux, les coudes, les cils, les sourcils, les narines, les épaules, les poignets, les chevilles.

6. Découpez dans une revue la tête, le tronc, les bras, les jambes, les mains, les pieds d'une personne et demandez à l'enfant de les replacer au bon endroit.

7. Dessinez deux personnages en omettant certaines parties du corps sur l'un d'eux (une oreille, un doigt...). L'enfant doit trouver ce qui manque.

8. L'enfant dessine un bonhomme le plus complet possible. Puis, à votre demande, il nomme les parties au fur et à mesure qu'il les dessine.

9. L'enfant dit à quelle partie du corps l'objet que vous nommez convient.
Exemples:

a) collier... (cou)
b) botte... (pied)
c) bracelet... (poignet)
d) parfum...
e) lunette...
f) ceinture..., etc.

10. Faites comparer à l'enfant la longueur des doigts de sa main et apprenez-lui leur nom: le pouce, l'index, le majeur, l'annulaire, l'auriculaire.

CHAPITRE IV

LATÉRALITÉ

La latéralité est la préférence d'utilisation d'un côté du corps par rapport à l'autre (main, œil, oreille, jambe). Les enfants utilisent tantôt une main, tantôt l'autre, ou les deux, dans des activités qui nécessitent l'utilisation d'une seule main jusqu'à l'âge de quatre ans, où ils manifestent une préférence manuelle. À cet âge, l'enfant comprend que ses membres se situent de chaque côté de son corps même s'il ignore lesquels sont les droits et lesquels sont les gauches. Il apprend durant cette période les notions droite-gauche qui constituent un point de référence pour l'orientation spatiale ainsi que pour les apprentissages scolaires.

Les difficultés relatives à la lecture résultent de causes diverses dont la confusion droite-gauche. Pour lire, l'enfant devra préalablement envisager la droite et la gauche par rapport à lui, à autrui et aux objets.

Les exercices proposés ici aident donc l'enfant à prendre conscience que son corps a deux côtés identiques. Certains lui permettent d'utiliser séparément le côté droit et le côté gauche et de distinguer ces deux côtés sur son corps.

Il est avantageux de renforcer le côté préféré de l'enfant. S'il est ambidextre (il utilise le côté droit et le côté gauche), il est important de l'aider à préciser une dominance latérale.

MATÉRIEL: ficelle, rouleau de papier hygiénique, ballon, pièce de monnaie, sparadrap, cuillère, pois, paille, chaise, plateau d'emballage pour viande, papier, ustensiles, verres, cartes à jouer, boutons, laine.

ENFANT ENTRE DEUX ET QUATRE ANS

Entre deux et quatre ans, il est important de favoriser les exercices qui amènent l'enfant à découvrir sa dominance latérale. Pour cela, il faut lui proposer des activités qui renforcent les deux côtés du corps et être attentif à la préférence de l'enfant au niveau des membres inférieurs et supérieurs, et au niveau des yeux. Plusieurs exercices proposés dans les chapitres de la motricité globale, de la motricité fine et du schéma corporel favorisent l'utilisation tantôt du côté droit, tantôt du côté gauche. Nous vous suggérons de reprendre ces exercices.

ENFANT ENTRE QUATRE ET SIX ANS

Entre quatre et six ans, l'enfant prend conscience que ses membres sont identiques de chaque côté de l'axe corporel et il apprend, à partir de sa préférence latérale, les notions droite-gauche. Une fois qu'il distingue la droite de la gauche sur lui-même, il apprend à la différencier sur les objets. N'oubliez pas que l'enfant ne fait pas la réversibilité avant l'âge de sept ou huit ans; ainsi, lorsque vous êtes placé face à lui, votre main droite devient la gauche, et votre main gauche, la droite.

EXERCICES

1. Remarquez le côté dominant de l'enfant en le faisant:
a) regarder par l'extrémité d'un rouleau de papier hygiénique;
b) pousser un ballon avec un pied;
c) lancer une pièce de monnaie dans un seau placé à un mètre devant lui.

Il est très important de faire plusieurs exercices semblables à ceux-ci pour vous assurer de la dominance latérale de l'enfant. Par la suite, effectuez des exercices qui développent davantage son côté dominant.

2. Lorsque l'enfant a découvert et senti son côté dominant (le côté qui «travaille» le plus aisément), introduisez le mot droite (ou gauche pour le gaucher). Pour faciliter la reconnaissance et l'apprentissage de la droite et de la gauche, attachez durant quelques jours une ficelle ou un ruban au poignet droit de l'enfant.

3. Attachez une ficelle séparant verticalement le corps de l'enfant de façon qu'il se rende compte qu'il possède deux côtés identiques. En se regardant dans un miroir, l'enfant nomme et bouge une à une toutes les parties d'un côté (bras, jambe, main, pied, genou, coude, œil, oreille, narine, cil, sourcil). Il reprend avec l'autre côté.

4. L'enfant se cache derrière l'armoire ou la porte et ne laisse paraître que le côté droit ou le côté gauche du corps.

5. L'enfant se couche sur le dos ou à plat ventre sur une corde et bouge un membre du côté droit, puis un autre du côté gauche.

6. L'enfant se regarde dans un miroir et se déguise à l'aide de sparadraps qu'il colle sur sa main droite, sa joue droite, son oreille droite, son genou droit, etc. Il recommence la semaine suivante avec le côté gauche.

7. L'enfant touche le mur avec sa main droite, son pied, sa cuisse, son coude, son épaule, son genou, etc. Il reprend avec le côté gauche.

8. L'enfant marche en tenant dans la main droite une cuillère à soupe qui contient un pois ou un haricot. Il refait l'exercice avec la main gauche.

9. Assis sur le plancher, l'enfant fait rouler un rouleau de papier hygiénique le long de son bras droit, de sa jambe droite. Puis, il reprend avec le côté gauche.

10. L'enfant se chausse le pied droit et se promène ainsi dans la maison; il retire ensuite sa chaussure et reprend avec le pied gauche.

11. À votre demande, l'enfant tourne la poignée de porte vers la droite, puis vers la gauche.

12. L'enfant souffle dans une paille en faisant du vent sur sa main droite, son pied droit, son genou, sa cuisse, etc. Il recommence avec le côté gauche.

13. Fabriquez un jeu de quilles avec des rouleaux de papier hygiénique. L'enfant lance la balle sur les quilles avec la main droite, ensuite avec la main gauche.

14. Découpez un cercle d'environ vingt centimètres de diamètre dans un plateau d'emballage pour viande, puis un cercle d'environ treize centimètres de diamètre à l'intérieur de ce dernier de façon à former un anneau. L'enfant fait tourner cet anneau autour du poignet droit et du poignet gauche.

15. L'enfant fait entrer l'anneau (voir exercice précédent) dans une des pattes d'une chaise placée à l'envers en lançant avec la main droite, puis avec la main gauche.

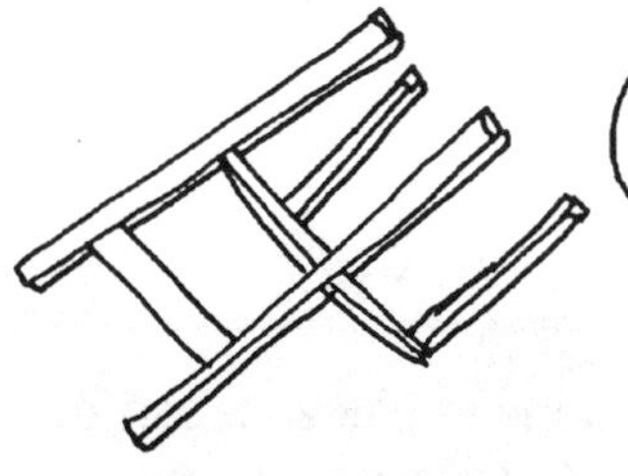

16. L'enfant fait rouler sur la table un rouleau de papier hygiénique vers la droite, puis vers la gauche.

17. L'enfant pousse une boulette de papier jusqu'au mur en donnant des pichenettes de la main droite. Il rejoue à ce jeu avec la main gauche.

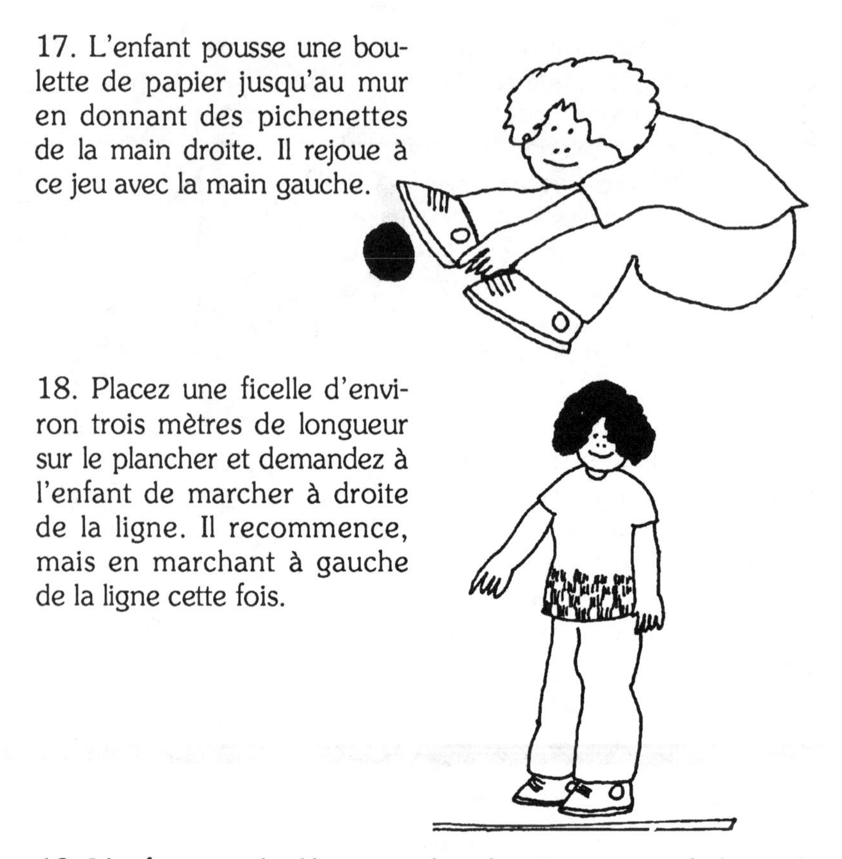

18. Placez une ficelle d'environ trois mètres de longueur sur le plancher et demandez à l'enfant de marcher à droite de la ligne. Il recommence, mais en marchant à gauche de la ligne cette fois.

19. L'enfant marche librement dans la pièce au son de la musique. Lorsque vous dites «droite», il s'arrête et pose le genou droit sur le plancher. Lorsque vous dites «gauche», il pose le genou gauche sur le plancher.

20. L'enfant est assis sur une chaise. Lorsque vous montez le son de la musique, il lève la jambe et le bras droits. Lorsque le son est faible, il lève la jambe et le bras gauches.

21. L'enfant marche librement dans la pièce. Lorsque vous frappez une fois dans vos mains, il tourne à droite. Lorsque vous frappez deux fois, il tourne à gauche.

22. Faites un cercle d'environ un mètre avec une ficelle. L'enfant tourne autour du cercle sur le pied droit; au signal, il saute à l'intérieur sur le pied gauche. Il reprend en changeant de pied.

23. Jouez à «Jean dit: touche ton oreille gauche avec ta main droite, touche ta cheville droite avec ta main gauche, cache ton œil gauche avec ta main gauche». Vous pouvez varier et inventer d'autres gestes. L'enfant devient ensuite meneur de jeu.

24. L'enfant marque en rouge le côté droit des boîtes de céréales et en bleu le côté gauche.

25. L'enfant vous aide à mettre la table: il place la fourchette à gauche de l'assiette, le couteau à droite.

26. Demandez à l'enfant si le robinet d'eau froide est placé à droite ou à gauche. Reposez la question pour le robinet d'eau chaude.

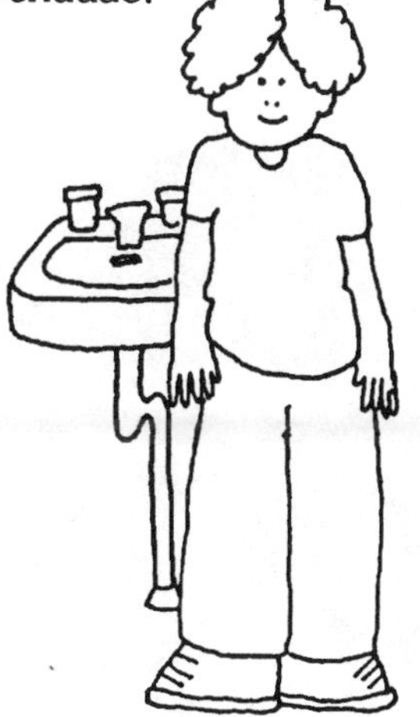

27. Préparez trois verres d'eau remplis à différents niveaux; l'enfant place celui qui en contient le moins à droite de la table, celui qui en contient le plus à gauche et le moyen au centre.

28. L'enfant place les cœurs et les carreaux d'un jeu de cartes à droite de la table, puis les piques et les trèfles à gauche.

29. L'enfant fait un soleil avec des boutons à droite de la table et des nuages avec de la laine à gauche de la table. Il reprend en variant les éléments.

30. Sur une feuille, l'enfant dessine un cercle en haut à droite, un carré en bas à gauche. Il reprend en les plaçant différemment et en variant les formes géométriques simples.

31. Dans son livre à colorier, l'enfant colorie les éléments de gauche d'une couleur et les éléments de droite d'une autre couleur.

32. Dans l'illustration ci-dessous, l'enfant encercle ou colorie en rouge tout ce qui se dirige vers la droite et en bleu ce qui se dirige vers la gauche.

CHAPITRE V

ORIENTATION SPATIALE

Avant d'aborder l'orientation spatiale, il faut s'assurer que l'enfant connaît bien son schéma corporel, puisqu'il s'oriente dans l'espace à l'aide de son corps. Après avoir découvert ce corps, il détermine la position qu'il occupe par rapport aux objets qui l'entourent et établit un ensemble de relations entre ses propres mouvements et ceux de l'extérieur. En utilisant une partie du corps comme référence, l'enfant détermine les notions spatiales de: devant, derrière, à côté, en haut, en bas, au-dessus, au-dessous, près, loin, etc. Ces notions étant plutôt difficiles à acquérir, il faut profiter de toutes les occasions pour les faire expérimenter à l'enfant, l'aider à les apprendre et à les mémoriser.

Après qu'il a appris à s'orienter dans la réalité environnante, il est plus facile pour lui de comprendre les signes graphiques et numériques, qui eux-mêmes se distinguent de par leur forme, leur grosseur et leur orientation. Ainsi, un enfant qui a des difficultés d'orientation spatiale est porté à inverser les lettres, car il n'en perçoit pas l'orientation; il peut confondre le p, le b, le d, ne pouvant identifier si le cercle est en haut, en bas, à gauche ou à droite; de même pour certains chiffres tels que le 3, le 4, dont il peut diriger les pattes dans le sens inverse.

La capacité d'orientation spatiale favorise donc la lecture et l'écriture. Ainsi, l'enfant prend conscience des différents espaces entre les lettres, les mots et les phrases. Lorsqu'il aborde la lecture et l'écriture, il réalise facilement que les signes se déroulent de la gauche vers la droite, que les lignes s'organisent de haut en bas, que les lettres ont une forme et une orientation définies puis une place déterminée dans la syllabe, de même que celle-ci à l'intérieur du mot et les différents mots dans la phrase.

Entre deux et six ans, l'enfant a donc à s'adapter à l'espace, à s'orienter dans l'espace, à acquérir les notions spatiales et à structurer l'espace.

MATÉRIEL: chaises, ballon, feuilles, ficelle, jouets, ustensiles, boutons, cure-dents, bâtonnets à café, assiettes, boîtes de conserve, boîtes de céréales, laine, crayon, crayons à colorier.

ENFANT DE DEUX OU TROIS ANS

Vers deux ou trois ans, l'enfant monte, descend, explore avec son corps l'espace vertical et horizontal, les contours, la profondeur des objets par le biais du modelage. Il expérimente dans ses activités sa situation dans l'espace et la place des objets. Il comprend la notion de haut et de bas et acquiert celle de dehors et de dedans.

EXERCICES

1. L'enfant passe **sous** la table, **sous** la chaise, d'abord en rampant et par la suite à quatre pattes.

2. Sans les toucher, l'enfant marche **autour** des chaises placées à différents endroits dans la pièce.

3. L'enfant circule **autour** de divers objets dans la pièce en rampant, en marchant à quatre pattes, en petit bonhomme.

4. Placez plusieurs jouets de l'enfant dans la pièce. Lorsque vous frappez dans vos mains, l'enfant en prend un et se promène librement **autour** des autres jouets. Au second signal, l'enfant replace son jouet à l'endroit où il l'a pris. Continuez l'activité avec les autres jouets.

5. À votre demande, l'enfant s'assoit **sur** la chaise, passe **sous** la table, etc.

6. Demandez à l'enfant d'aller **dans** la garde-robe, **dans** la baignoire, etc.

7. L'enfant se cache **derrière** la porte, se place **devant** la chaise, **derrière** le canapé, **devant** la table.

ENFANT DE TROIS OU QUATRE ANS

Vers trois ou quatre ans, l'enfant situe les objets et la place qu'ils occupent en relation avec lui-même. Il est conscient de l'ordre des objets qui lui sont familiers; il peut se repérer et s'orienter dans les itinéraires simples et acquiert la notion d'habitation.

EXERCICES

1. À votre demande, l'enfant se place **sous** la chaise, **sur** la chaise, **derrière, devant.**

2. Formez un cercle d'environ trois mètres de circonférence avec une ficelle. L'enfant s'assoit **à l'intérieur** du cercle, **à l'extérieur**; il marche **autour**, revient **à l'intérieur**, etc.

3. L'enfant place son ballon **en haut, en bas, au-dessus, au-dessous, devant, derrière, à côté, loin de lui, près de lui.**

Bravo! OK

4. L'enfant lance le ballon **sous** ou **par-dessus** une corde attachée à deux chaises distancées de un mètre.

OK

5. Disposez sur le plancher quelques feuilles d'environ trente centimètres carrés, distancées de trente centimètres les unes des autres; l'enfant passe **entre** ces feuilles sans les toucher.

6. L'enfant marche en faisant de **grands** pas, de **petits** pas.

7. L'enfant se place **face** à vous, **dos à dos, à côté** de vous, **près** de vous, **loin, derrière** et **devant** vous.

8. L'enfant met les mains **devant** ses pieds, **sur** la tête, **derrière** la taille, **sous** le menton, **devant** les yeux, **derrière** les genoux.

9. L'enfant se rend à une chaise au centre de la pièce en prenant des **détours** (chemin **très long**), puis en **ligne droite** (chemin **très court**).

10. Avec ses cubes ou des feuilles de papier, l'enfant fait deux chemins de différentes longueurs pour ses autos. Demandez-lui quel chemin est le **plus court** et lequel est le **plus long**.

11. L'enfant place des jouets **loin** de lui, **près** de lui, **près** de vous, **loin** de vous. Demandez-lui de placer un objet **plus loin** que..., **plus près** que tel autre.

12. L'enfant dépose une cuillère **devant** la chaise, une fourchette **derrière** la chaise, un couteau **à côté** de la chaise, un bouton **sur** la chaise, un cure-dent **sous** la chaise. Demandez-lui ensuite où sont la cuillère, la fourchette, le couteau, le bouton, le cure-dent.

13. L'enfant place des petits boutons **dans** un bol et des plus gros **autour**.

14. En comparant des assiettes, l'enfant doit découvrir laquelle est la **plus grande,** la **plus petite,** la **moyenne**.

15. L'enfant compare les boîtes de céréales, de biscuits, etc.; il trouve la **plus basse** et la **plus haute.**

16. Tracez des chemins de différentes longueurs sur une feuille; l'enfant repasse avec la craie rouge sur le chemin le **plus court,** avec la craie bleue sur le chemin le **plus long.**

17. Dessinez un cercle sur une feuille; l'enfant place le bouton rouge **à l'intérieur** du cercle, le bouton bleu **à l'extérieur,** le bouton vert **près** du bouton bleu, le bouton noir **loin** du bouton bleu, etc.

ENFANT DE QUATRE OU CINQ ANS

Assurez-vous que les exercices précédents sont bien intégrés avant de commencer les suivants. Vers quatre ou cinq ans, l'enfant comprend les sens: haut, bas, avant, arrière, sur, sous, par terre, dans, dehors, ici, à gauche, à droite, devant, derrière, etc. Il est capable de respecter les consignes: suivre, s'éloigner, se rapprocher, s'en aller, se cacher, se reculer, etc. Il compare les dimensions et saisit la notion de volume.

EXERCICES

1. Assis au centre de la pièce, l'enfant nomme ce qui est **en avant** de lui, **en arrière, à côté, derrière,** à sa **droite,** à sa **gauche.**

2. L'enfant lance le ballon **en haut, en avant, en arrière,** à sa **droite,** à sa **gauche.**

3. L'enfant fait tourner la balle **autour** de la tête, de la taille, des genoux, des chevilles; il la place **derrière** son dos, **devant** son pied, **sur** la tête, etc.

4. L'enfant sépare des boîtes de conserve; il place les **plus grosses** à droite et les **plus petites** à gauche.

5. L'enfant sépare des morceaux de laine de différentes longueurs en déposant les **plus courts** à gauche de la table et les **plus longs** à droite.

6. Avec des cure-dents, l'enfant forme des carrés et des triangles, **petits** et **grands.**

7. L'enfant relie avec de la laine des boutons placés à différents endroits sur la table.

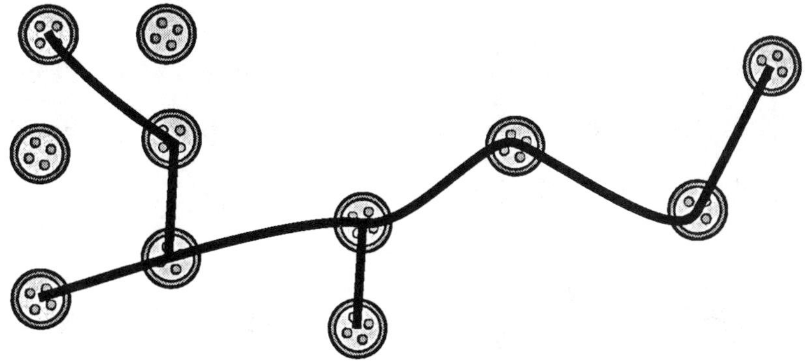

8. Faites des dessins avec des boutons et des cure-dents; demandez à l'enfant de les reproduire. Vous pouvez également utiliser de la plasticine. L'enfant fait des queues de souris avec lesquelles vous produisez un modèle qu'il devra imiter par la suite. Faites des modèles de lettres, par exemple, en faisant des cercles et des droites*.
Exemples:

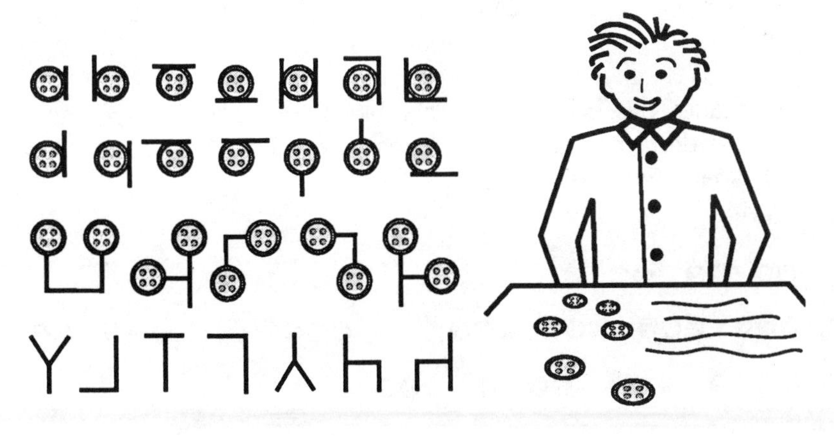

*Les modèles proposés dans certains exercices peuvent être reproduits sur de grandes feuilles et épinglés sur un tableau d'affichage dans la chambre de l'enfant.

9. Placez des boutons sur la table et reliez-les avec des bouts de laine de façon à former un dessin. L'enfant doit reproduire le même dessin à côté.

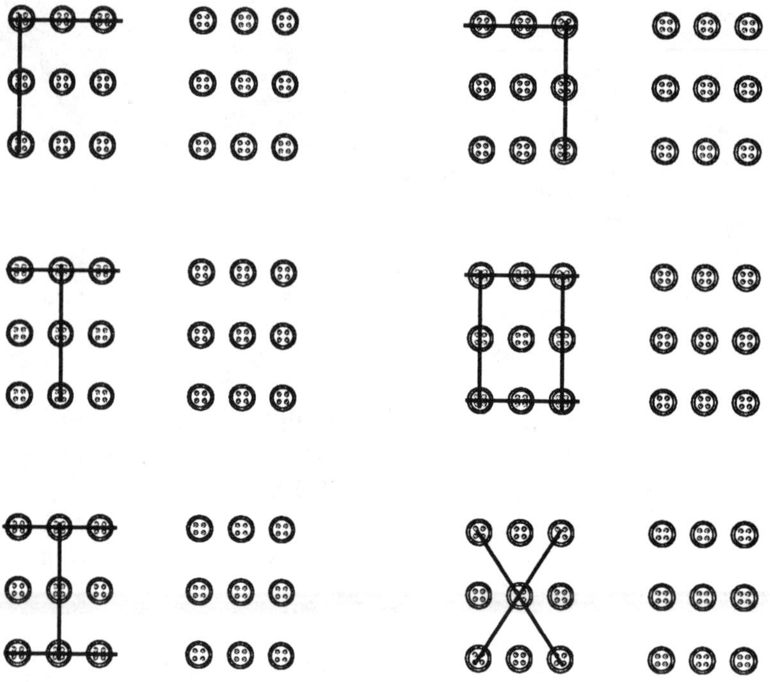

10. Placez des boutons sur la table; l'enfant doit en replacer d'autres de façon identique, en respectant l'ordre de succession et l'espace entre les boutons.

11. L'enfant reproduit le modèle en encerclant les croix.

⊗ x x	x x x	⊗ x ⊗	x x x	x x ⊗	x x x
x ⊗ x	x x x	x ⊗ x	x x x	x ⊗ x	x x x
⊗ x x	x x x	x x x	x x x	x x ⊗	x x x
x ⊗ x	x x x	x ⊗ x	x x x	⊗ x ⊗	x x x
⊗ x ⊗	x x x	x ⊗ x	x x x	x ⊗ x	x x x
x ⊗ x	x x x	⊗ ⊗ x	x x x	⊗ x ⊗	x x x
⊗ x x	x x x	x ⊗ ⊗	x x x	⊗ ⊗ x	x x x
⊗ x ⊗	x x x	⊗ ⊗ x	x x x	x x ⊗	x x x
x x ⊗	x x x	x ⊗ ⊗	x x x	⊗ x x	x x x

12. L'enfant reproduit les dessins que vous avez faits sur la table avec des bouts de laine.
Exemples:

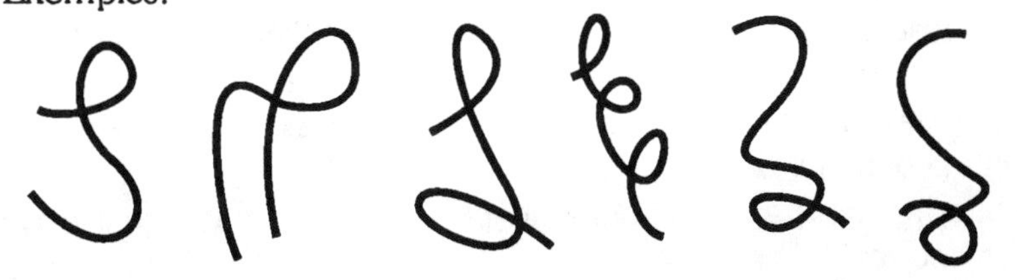

13. Faites des tracés avec des cure-dents ou des bâtonnets à café et demandez à l'enfant de les reproduire.
Exemples:

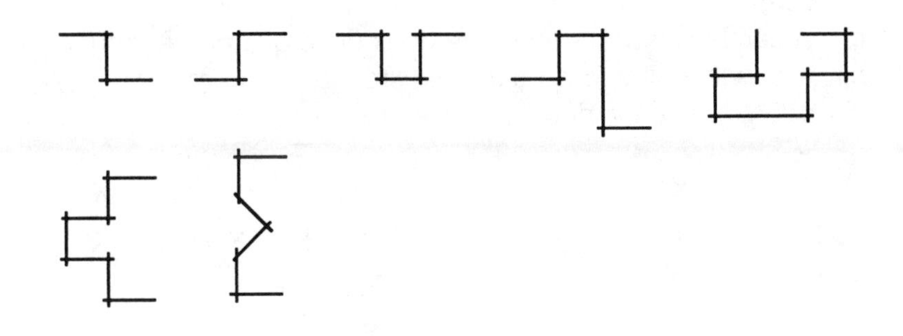

14. L'enfant suit le parcours des bouts de corde que vous avez placés sur le plancher. Il refait le même parcours, mais à côté du modèle.
Exemples:

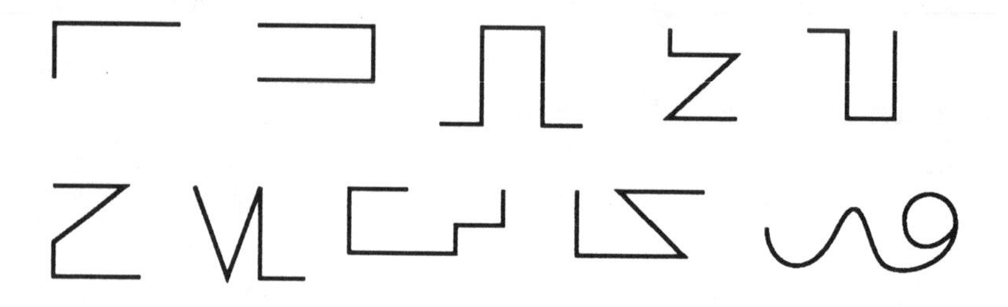

15. Placez différents objets sur le plancher ou sur la table et demandez à l'enfant de mesurer la distance entre chacun en utilisant son soulier, des bâtonnets à café, etc. Exemple: du ballon à la poupée, il y a cinq bâtonnets; il y a une longueur de quatre souliers entre le ballon et la chaise.

16. Tracez un parcours sur une feuille quadrillée et demandez à l'enfant de le décrire. Exemple: «J'avance de deux pas, je fais deux pas vers la droite, je recule de deux pas, je fais deux pas vers la gauche», etc.
Variante: donnez oralement un parcours à l'enfant qu'il trace sur une feuille.

17. L'enfant encercle les croix que vous lui désignez.
Exemples:
a) encercle en bleu la troisième croix de la deuxième rangée;
b) encercle en rouge la deuxième croix de la troisième rangée;
c) encercle en vert la première croix de la quatrième rangée;
d) encercle en jaune la quatrième croix de la première rangée;
e) poursuivez en variant les questions.

a) X X X X X
X X X X X
X X X X X
X X X X X

b) X X X X X
X X X X X
X X X X X
X X X X X

c) X X X X X
X X X X X
X X X X X
X X X X X

d) X X X X X
X X X X X
X X X X X
X X X X X

18. L'enfant dessine des cercles, des carrés ou des triangles dans les cases que vous lui indiquez.
Exemples:

a) dessine un cercle bleu dans la deuxième case de la cinquième rangée;
b) dessine un carré vert dans la cinquième case de la troisième rangée;
c) dessine un triangle rouge dans la première case de la deuxième rangée.

19. L'enfant reproduit les dessins suivants.

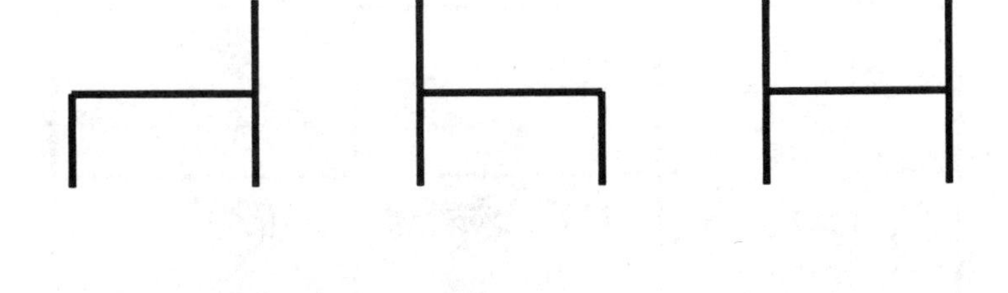

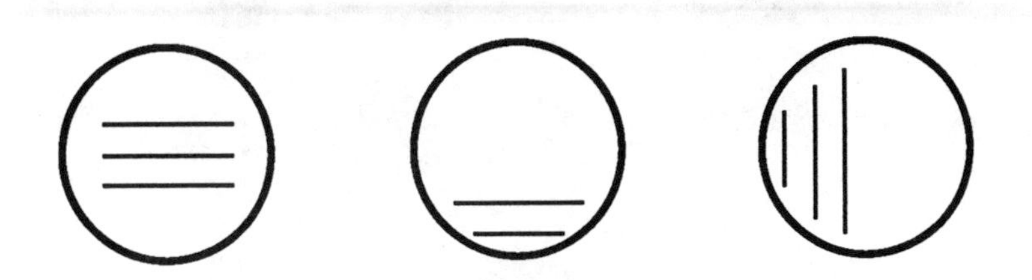

20. L'enfant colorie:

a) ce qui est **devant;**
b) ce qui est **derrière;**
c) ce qui est **au-dessus.**

a)

b)

c)

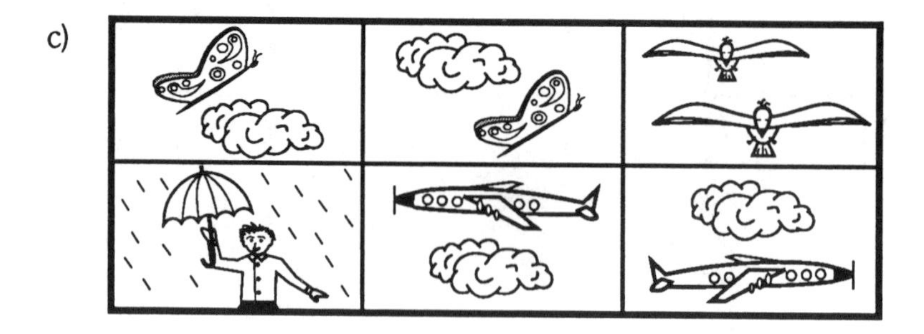

21. L'enfant colorie:

a) en rouge les avions qui se dirigent vers le **haut**;

b) en bleu les avions qui se dirigent vers le **bas**.

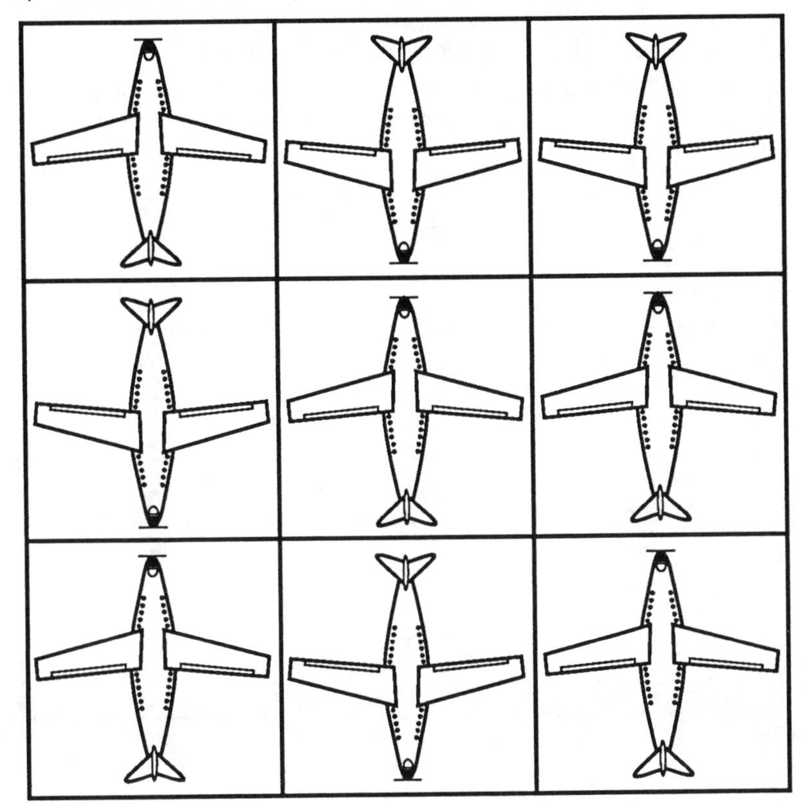

22. L'enfant colorie:

a) en bleu l'objet qui est **au-dessus** de l'arbre;
b) en rouge l'objet qui est **au-dessous** du poisson;
c) en vert l'objet qui est **à droite** du parapluie;
d) en jaune l'objet qui est **à gauche** de la tortue;
e) en orange l'objet qui est **entre** le livre et le champignon.

Donnez différentes consignes se rapportant à l'organisation dans l'espace.

23. À votre demande, l'enfant place un bouton:
a) **avant** la pomme;
b) **après** le soleil;
c) **en haut** du parapluie;
d) **en bas** du chat;
e) **au-dessus** de la banane;
f) **au-dessous** de la botte.
Continuez l'exercice en variant la couleur des boutons et les consignes se rapportant à l'organisation dans l'espace.

24. Reproduisez des modèles semblables et demandez à l'enfant de relier les points selon les modèles. Augmentez les difficultés au fur et à mesure qu'il réussit.

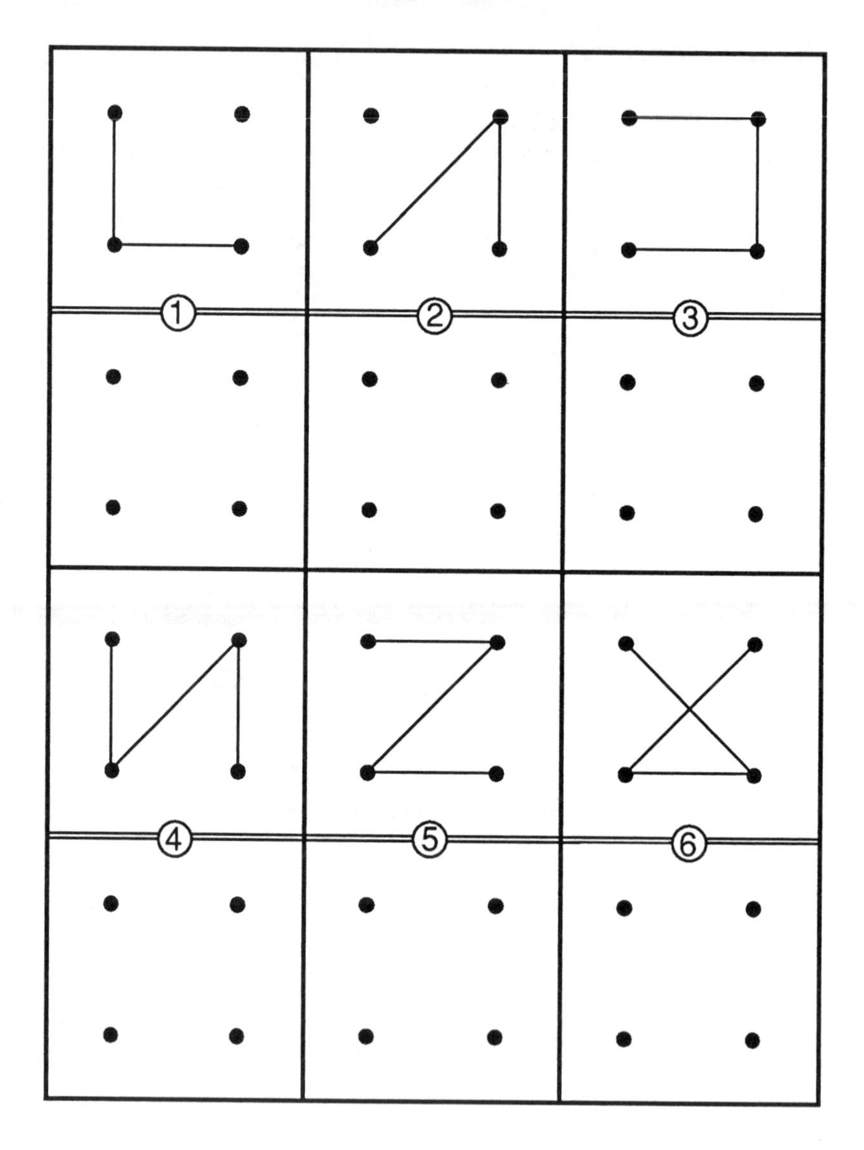

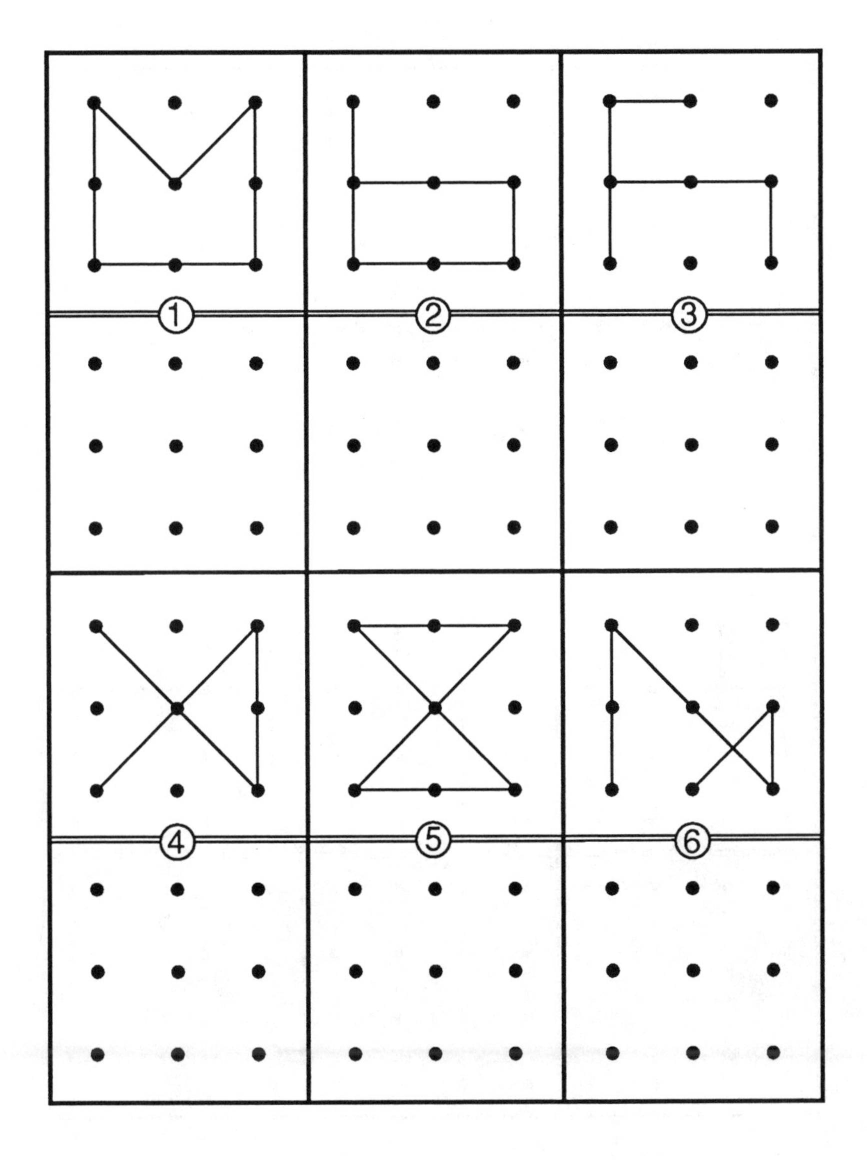
1
2
3
4
5
6

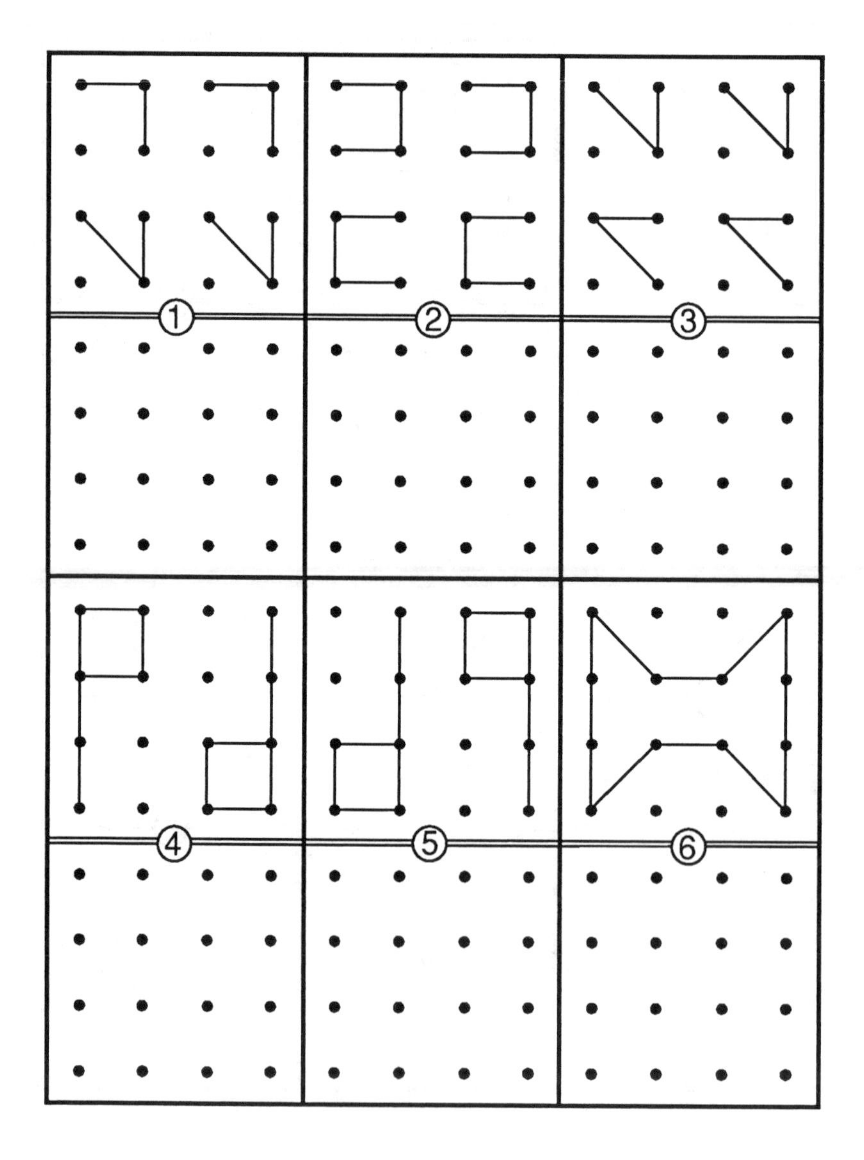

1
2
3
4
5
6

CHAPITRE VI

ORIENTATION TEMPORELLE ET RYTHME

Lorsque nous parlons d'orientation temporelle, cela implique pour l'enfant qu'il fasse la synthèse de trois opérations de base dont: l'ordre, la durée et la mesure du temps.

La première opération détermine la suite des événements, c'est-à-dire l'ordre dans lequel ils se déroulent, par exemple, le lever, le petit déjeuner, le départ pour l'école, etc.

La deuxième opération concerne l'espace de temps qui s'est écoulé entre deux événements, c'est-à-dire l'intervalle de temps entre deux activités; par exemple, le temps qui sépare le lever du départ pour l'école. La durée peut se définir en jours, en heures, en minutes ou en secondes.

La troisième, soit la mesure, représente la vitesse de déroulement du temps; par exemple, lorsque l'enfant fait une activité qu'il aime, le temps lui semble très court; par contre, lorsqu'il fait une tâche qu'il trouve pénible, le temps lui paraît long.

Lorsque nous réunissons ces trois étapes, nous parlons de rythme, qui est la synthèse de l'ordre, de la durée et de la mesure du temps. Le rythme est donc la manière dont le sujet comprend, mémorise et reproduit des séquences temporelles. Ainsi, à travers son propre mouvement, l'enfant découvre certains rythmes rapides ou lents; il acquiert ainsi le sens du rythme et de ses variations, l'intensité des sons, des mots, des phrases, ce qui lui permettra une lecture vive et imagée. Nous ferons donc de cette notion une étude privilégiée.

Le temps est une notion difficile à acquérir pour le jeune enfant, mais elle ne doit pas pour autant être négligée. Ainsi, il apprendra à situer les événements passés, présents ou futurs; il pourra découvrir l'ordre naturel des choses et structurer les relations entre les événements. Cela lui facilitera également l'apprentissage de la lecture, car il percevra mieux la succession des lettres, des mots et, ainsi, saisira mieux l'ensemble du message lu.

Entre deux et six ans, l'enfant doit donc s'adapter au temps, s'orienter dans le temps, acquérir les notions qui le concernent et le structurer. Les exercices proposés ci-dessous l'amènent à percevoir les actions, la durée, l'ordre, la vitesse et le rythme.

MATÉRIEL: mouchoirs en papier, photos de l'enfant, images de saisons, verres d'eau, chaises, vêtements, images d'aliments, ustensiles, couvercles, pièces de monnaie, pot, aiguille, feuilles de papier, calendrier, pomme.

ENFANT DE DEUX OU TROIS ANS

Vers deux ou trois ans, l'enfant expérimente la notion de temps en acceptant d'attendre. Il comprend la notion du «maintenant» et saisit une succession simple n'ayant référence qu'au passé immédiat. Vers trois ans, il utilise une dizaine de mots pour désigner le temps, qu'il peut décrire par des termes comme hier, demain, aujourd'hui.

Profitez de différentes situations au cours de la journée pour permettre à l'enfant d'attendre de courts instants. Par exemple: lorsqu'il demande de l'eau, dites-lui d'attendre et donnez-lui ce qu'il a demandé quelques minutes plus tard. Suggérez-lui de s'asseoir en attendant, par exemple, de chanter, de sauter...

EXERCICES GÉNÉRAUX

1. L'enfant marche dans la pièce: **rapidement, lentement.**

2. L'enfant frappe dans ses mains: **rapidement, lentement.**

3. L'enfant lance un mouchoir en papier dans l'air et s'assoit par terre **avant** que le mouchoir touche le plancher. Il raconte ensuite ce qu'il a fait dans l'ordre.

4. L'enfant lance un mouchoir en papier dans l'air et frappe dans ses mains pendant qu'il descend; lorsque le mouchoir touche le plancher, il crie: «bravo!».

5. Profitez de toutes les occasions où l'enfant s'habille pour lui préciser les mots qui indiquent le temps. L'enfant met ses bas **avant** son pantalon, son chandail **après** ses souliers, etc.

6. L'enfant doit laver ses mains **avant** le repas.

7. À l'heure des repas, dites à l'enfant qu'il mangera le potage **avant** la viande, qu'il aura le dessert **après** les légumes.

8. Invitez l'enfant à mettre son chandail blanc le **matin** et son chandail bleu, l'**après-midi.**

9. Annoncez à l'enfant qu'il aura une pomme dans l'**après-midi.**

10. Dites à l'enfant qu'il a une pomme **aujourd'hui** et qu'il aura un biscuit **demain.**

11. Rappelez à l'enfant qu'il a eu un biscuit **hier** et qu'il aura une banane **aujourd'hui.**

12. Profitez de toutes les situations pour faire acquérir à l'enfant le vocabulaire qui indique le temps. Mentionnez souvent au cours de la journée les mots: **avant, après,** le **matin,** l'**après-midi,** le **soir, en premier, en dernier, hier, aujourd'hui, demain, dans trois dodos, tôt, tard, départ, arrivée,** etc.

13. L'enfant part de la chaise et se rend à la table. Demandez à l'enfant quel était le point de **départ?** Quel est le point d'**arrivée?**

14. Pour aider l'enfant à évaluer le temps, dites-lui que, dans cinq minutes, vous lui donnerez de la crème glacée. Montrez-lui sur l'horloge en lui expliquant que dans cinq minutes, la grande aiguille sera rendue à...

15. L'enfant doit spécifier quel repas il prend le **matin,** le **midi,** le **soir.** Ce qu'il a mangé au **déjeuner,** au **dîner,** dans l'**après-midi.**

16. Rappelez à l'enfant l'émission de télévision qu'il écoute le **matin,** l'**après-midi** ou le **soir.**

17. L'enfant explique quel chemin il doit prendre pour se rendre au magasin.

EXERCICES DE RYTHME

1. Marquez un rythme régulier en frappant sur la table. L'enfant marche en suivant:
a) un rythme lent;
b) un rythme rapide.
Variantes: marquez un rythme lent, régulier ou rapide. L'enfant marche en suivant le rythme et doit dire s'il est lent, régulier ou rapide.

2. L'enfant chante et marque le rythme de sa chanson en frappant sur la table.

3. L'enfant marche en suivant le rythme et en frappant deux cuillères de métal.

4. L'enfant marche comme un ours qui est lourd quand vous frappez sur vos genoux; lorsque vous frappez sur la table, il marche comme la grande girafe.

5. Frappez dans les mains et demandez à l'enfant de marcher en suivant le rythme:
a) comme le soldat de bois;
b) comme la danseuse de ballet (sur la pointe des pieds);
c) comme le petit canard.

6. L'enfant marche lorsque vous frappez sur la table avec une cuillère de bois; il court lorsque vous frappez sur une casserole.

7. L'enfant marche en suivant le rythme que vous marquez avec une cuillère de bois sur la table; lorsque vous frappez fort, il saute.

8. Lorsque vous frappez dans vos mains, l'enfant marche vers l'avant (en suivant le rythme); lorsque vous frappez sur la table, il marche à reculons.

9. Établissez des rythmes lents, vifs, réguliers. L'enfant marche en suivant le rythme et court s'asseoir sur la chaise quand vous cessez de frapper.

10. Lorsque vous donnez un rythme régulier, l'enfant marche autour de deux chaises placées ensemble; lorsque vous accélérez, il court partout dans la pièce.

11. Frappez deux couvercles ensemble. L'enfant marche jusqu'à ce que le son s'arrête.

12. Chantez tour à tour lentement, régulièrement et rapidement. L'enfant suit le rythme en marchant.

13. Mettez des pièces de monnaie dans un pot et demandez à l'enfant de marcher lentement ou rapidement selon le rythme que vous créez en brassant le pot.

14. Lorsque vous montrez une cuillère à l'enfant, il tape ses mains fortement; lorsque vous montrez une fourchette, il tape doucement.

15. L'enfant place une cuillère sur la table lorsque vous frappez fort; si vous frappez doucement, il place une fourchette.

16. L'enfant place une grosse cuillère sur la table lorsque vous frappez fortement deux couvercles ensemble; si vous y allez doucement, il place une petite cuillère.

ENFANT DE QUATRE OU CINQ ANS

Assurez-vous que les exercices précédents sont bien intégrés avant de commencer les suivants. Vers quatre ou cinq ans, l'enfant commence à comprendre la séquence dans le temps, il utilise la succession de temps dans une journée; répète une histoire en conservant les principaux éléments et peut ordonner ses idées suivant une logique. Vers cinq ans, il démontre une meilleure compréhension du temps, il repère et illustre une histoire en conservant les principaux éléments et connaît la majorité des mots qui indiquent le temps.

EXERCICES GÉNÉRAUX

1. L'enfant imite dans le même ordre trois actions différentes que vous venez de faire. Ensuite, il vous dit ce qu'il a fait en premier, en deuxième et en dernier.

2. L'enfant raconte sa journée en commençant par les activités du matin et ainsi de suite. Incitez l'enfant à utiliser les mots suivants: **pour commencer..., et puis..., ensuite..., après..., en dernier lieu.**

3. Demandez à l'enfant de nommer une action qu'il a faite le **matin,** une autre qu'il a faite le **midi** et une autre, le **soir.**

4. L'enfant nomme dans l'ordre les vêtements qu'il doit mettre lorsqu'il s'habille.

5. Profitez des promenades pour faire raconter par l'enfant la suite logique des événements.

6. Lorsque vous préparez un gâteau ou le repas, l'enfant raconte dans l'ordre ce que vous avez fait.

7. L'enfant dispose en ordre sur la table quatre verres d'eau remplis à différents niveaux, en commençant par celui qui en a **le moins.** Il reprend en commençant par celui qui en a le **plus.**

8. Montrez à l'enfant des images de céréales, de potage, de viande, de gâteau et demandez-lui de les placer en ordre logique, c'est-à-dire ce qu'il doit manger en premier, en deuxième, etc.

9. L'enfant place une fourchette **au centre** de la table, un couteau **avant** la fourchette, une cuillère **après** la fourchette, un crayon **avant** le couteau, un bouton **après** la cuillère. Demandez-lui ensuite lequel est **le premier, le dernier,** celui qui vient **avant** l'un, **après** l'autre.

10. L'enfant aligne une série d'objets sur la table. Il vous dit ensuite lequel est **le premier, le deuxième, le troisième, le dernier,** celui qui est placé **juste avant le deuxième, juste après le deuxième, juste avant le troisième, juste après le troisième.**

11. L'enfant nomme dans l'ordre les ustensiles que vous venez de prendre (fourchette, couteau, cuillère à soupe et cuillère à café). Incitez-le à utiliser les termes suivants: **d'abord** tu as pris..., **puis..., ensuite..., enfin...** Tu as pris le couteau **avant** la cuillère à soupe, la cuillère à café **après** la cuillère à soupe, etc.

12. Chaque jour, l'enfant indique la température sur le calendrier; il dessine un soleil pour le beau temps, des gouttes de pluie lorsqu'il pleut, des nuages lorsque c'est nuageux, des flocons lorsqu'il neige. Demandez souvent à l'enfant quelle température il faisait **hier,** quel temps il fait **aujourd'hui,** quelle température il faisait le **premier** jour du mois, etc.

13. L'enfant trouve des différences entre le jour et la nuit; il dit ce que les gens font durant ces deux périodes.

14. L'enfant mentionne quels vêtements il portait **hier,** ceux qu'il porte **aujourd'hui,** ce qu'il aimerait revêtir **demain.**

15. L'enfant raconte ce qui est arrivé au **début** et à la **fin** de l'histoire que vous venez de lui lire, **avant** tel événement, **après** tel autre.

16. Sur une feuille de calendrier, inscrivez pour chacun des jours l'émission préférée de l'enfant. Vous pourrez utiliser cette feuille pour lui apprendre les notions **hier, aujourd'hui, demain,** en lui demandant l'émission qu'il a regardée **hier,** celle d'**aujourd'hui** et celle de **demain.**

17. L'enfant imite le cri du premier animal, du troisième, du deuxième, du quatrième, du dernier, de celui placé avant le..., après le..., etc.

18. Jouez à un jeu avec l'enfant et demandez-lui si le jeu a duré longtemps ou s'il a passé vite. Dites-lui après chaque activité combien de temps celle-ci a duré.
Exemple: «Nous avons fait le gâteau en une demi-heure», «Tu as fait le casse-tête en quinze minutes», «Tu t'es brossé les dents en trois minutes», etc.

19. Regardez avec l'enfant plusieurs de ses photos et demandez-lui de les placer en ordre chronologique, c'est-à-dire de la naissance jusqu'à aujourd'hui. Profitez-en pour introduire les termes suivants: **passé, présent, futur.**

20. Montrez à l'enfant des images représentant les quatre saisons. Expliquez-lui les phénomènes caractéristiques de chacune d'elles et l'ordre d'évolution. L'enfant dit quelle saison vient avant l'été, après l'automne, etc.

21. Sur un calendrier, l'enfant illustre des situations relatives à certains mois. Par exemple, il dessine un bonhomme de neige en janvier, un cœur en février pour la Saint-Valentin, un œuf pour le mois où l'on fête Pâques, un poisson en avril, une pomme pour le premier jour d'école, le mois qui représente la fin de l'école, un gâteau sur le mois de son anniversaire, un visage représentant les membres de sa famille à chacun de leur anniversaire, une piscine en juillet, une citrouille à l'Halloween, etc. Apprenez-lui également à nommer les mois de l'année dans l'ordre.

22. Demandez à l'enfant de dessiner un symbole pour chaque jour de la semaine. Par exemple: un aliment qu'il aimerait manger pour chacune des journées et demandez-lui ce qu'il mangera mardi, quel jour il mangera une pomme, une banane, des spaghettis, etc.

23. L'enfant récite dans l'ordre les jours de la semaine. Demandez-lui souvent quel jour on est aujourd'hui, lequel on était hier, etc.

24. L'enfant découpe les images suivantes en suivant les lignes pointillées. Il les colle sur une feuille ou dans un album et les place en ordre en commençant:

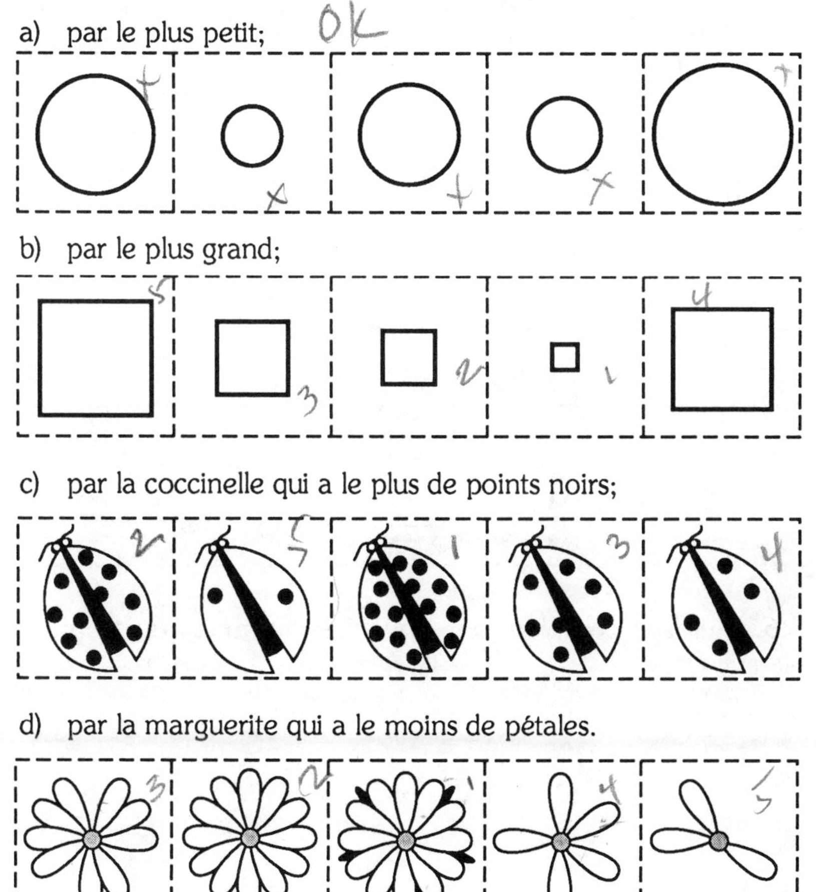

25. Après avoir découpé les images en suivant les lignes pointillées et les avoir collées dans l'ordre sur une feuille ou dans un album, l'enfant raconte l'histoire:

a) de cet arbre;

b) de ce bonhomme de neige;

c) de cet enfant qui s'habille;

d) de ce petit pêcheur.

26. L'enfant complète les séquences suivantes en ajoutant deux figures.

a)

b)

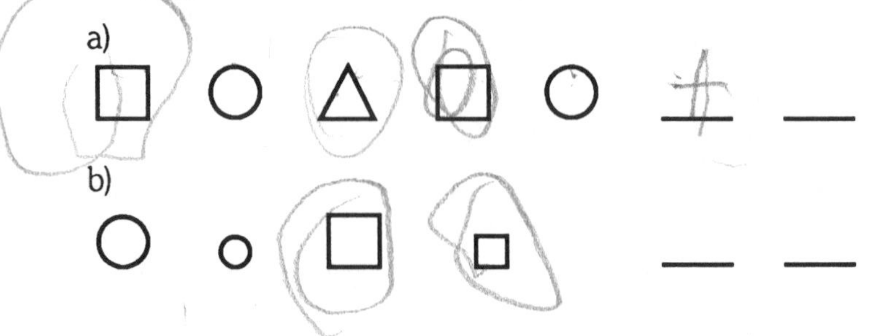

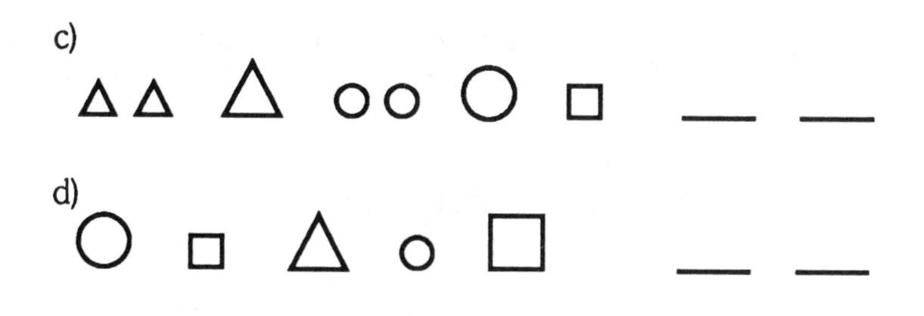

EXERCICES DE RYTHME

1. Demandez à l'enfant qui va le plus vite ou le plus lentement entre:
a) l'avion et le train;
b) le train et le bateau;
c) aller à bicyclette et à pied;
d) la tortue et le canard;
e) le cheval et le chat.

2. Lorsque vous montrez un objet à l'enfant, il frappe un coup dans ses mains; lorsque vous montrez deux objets, il frappe deux coups, etc.

3. L'enfant chante en marquant le rythme de sa chanson sur un verre vide, un à moitié rempli et un plein.

4. Posez des questions à l'enfant et demandez-lui de répondre lentement en accompagnant avec deux cuillères de métal chacune des syllabes prononcées.

5. Tapez dans vos mains et demandez à l'enfant de percer des trous avec une aiguille dans une feuille en suivant le rythme. Frappez de plus en plus vite.

6. En tapant sur un ballon, l'enfant suit le rythme que vous établissez lorsque vous frappez dans vos mains.

7. Prononcez lentement les noms des personnes que l'enfant connaît ou des noms d'objets et demandez-lui de suivre la cadence en tapant des mains, en sautant, en tournant la tête, etc.

8. L'enfant écoute de la musique ou ses disques préférés et suit le rythme en inventant des mouvements.

9. Apprenez des comptines à l'enfant et demandez-lui de les rythmer en tapant des mains, des pieds sur les genoux, sur la table.

10. Prononcez lentement des mots plus ou moins longs et demandez à l'enfant de tracer une ligne sur sa feuille durant toute la durée du mot. Émettez des sons longs ou courts et demandez à l'enfant de tracer une ligne horizontale, puis une ligne verticale durant la durée de chaque son.

11. Montrez un objet à l'enfant et demandez-lui d'émettre le son «a» jusqu'à ce que vous montriez un autre objet. Levez le bras et demandez-lui d'émettre le son «ou» jusqu'à ce que vous baissiez le bras, etc.

12. L'enfant compose des séquences rythmiques avec des cure-dents, des boutons, des pièces de monnaie, etc. Puis, il transcrit ses séquences sur une feuille. Il peut aussi en composer de nouvelles par écrit.

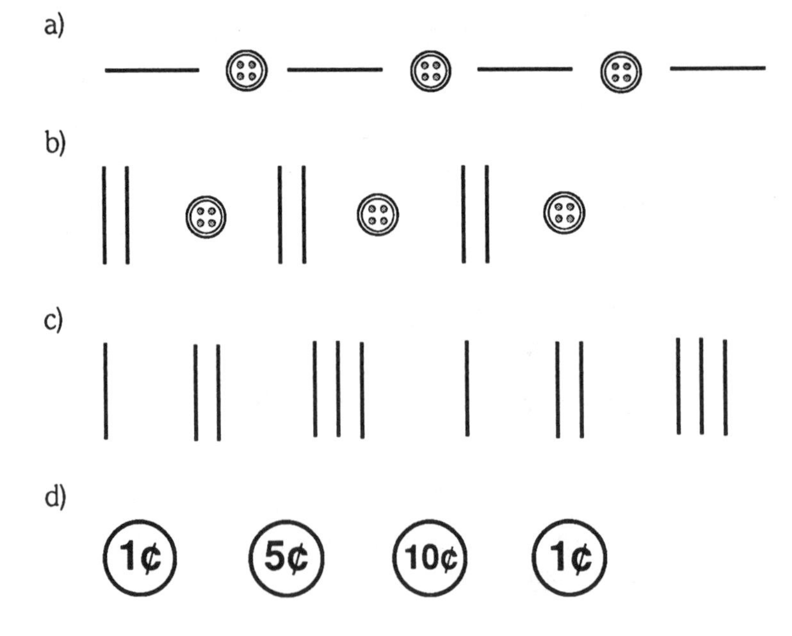

13. L'enfant suit les séquences ci-dessous. Le carré signifie que l'enfant tape des mains; le cercle, qu'il tape sur ses genoux; le triangle, qu'il tape sur ses épaules.

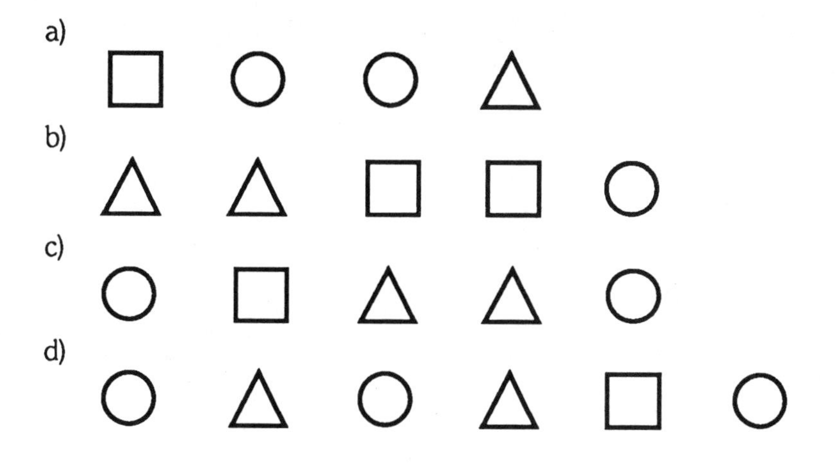

CHAPITRE VII

ORGANISATION PERCEPTIVE

Lorsque nos sens perçoivent un objet, différentes étapes s'opèrent; c'est ce qu'on appelle l'organisation perceptive. Si nous parlons de la vue, par exemple, nous dirons que le sujet voit l'objet (perception), puis il fixe le regard (attention visuelle), ensuite, il retient l'image (mémoire visuelle), et, enfin, il distingue l'image de façon sélective (discrimination visuelle). Ces étapes sont essentielles pour permettre à l'enfant d'obtenir des perceptions exactes et de plus en plus subtiles.

Nous aborderons donc dans les chapitres suivants la discrimination, la mémoire et l'attention sur les plans visuel et auditif, qui sont des plus importants pour la lecture et l'écriture. La perception par le toucher a été abordée dans le chapitre sur la motricité fine. La perception par le goût et l'odorat ne fera pas l'objet d'une étude spécifique.

CHAPITRE VIII

DISCRIMINATION VISUELLE

La discrimination visuelle est la capacité de reconnaître les différences et les ressemblances entre divers éléments. Les exercices proposés permettent à l'enfant d'observer et de déceler les différences et les ressemblances entre les objets sur les plans de la forme, de l'orientation, de la dimension, du mouvement et de la couleur. Ainsi, lorsqu'il aura à distinguer les lettres et les chiffres plus tard, l'enfant aura un entraînement à la perception qui contribuera à une réussite plus rapide.

MATÉRIEL: boutons, chaussures, vêtements, jeu de cartes, ustensiles, verres, livres, cure-dents, formes géométriques, pots, journal, pailles, pâtes alimentaires, boîtes de céréales, pièces de monnaie*.

ENFANT ENTRE DEUX ET QUATRE ANS

Entre deux et quatre ans, l'enfant s'intéresse au contour et au relief des objets. Il peut donc effectuer des exercices de tri et de progression.

---

* Nous vous suggérons de conserver les étiquettes des boîtes de conserve, les dessus de boîtes de céréales ou de savon, etc. Ils vous seront très utiles pour les jeux proposés.

EXERCICES

1. En comparant les souliers, les manteaux, les chandails de la famille, l'enfant observe la différence de grandeur entre ses objets et ceux des adultes. Il les place ensuite en ordre de grandeur du plus petit au plus grand.

2. Placez sur la table une assiette, une fourchette, un couteau, un cure-dents, un bouton. Demandez à l'enfant de vous montrer:

a) un petit objet en bois;
b) un objet long, qui a des dents et qui sert à manger;
c) un objet rond, dont on se sert pour déposer la nourriture;
d) un objet long, qui coupe;
e) un objet rond, avec des trous, qui permet d'attacher les vêtements;
f) l'objet le plus long; le plus petit; le plus gros.

3. L'enfant visse les couvercles correspondants sur des pots de différentes dimensions.

4. Placez successivement dans un bol des petits boutons, des gros boutons, des boutons rouges, des boutons bleus; puis, demandez à l'enfant de refaire les mêmes gestes.

5. Attablé devant différentes pâtes alimentaires (macaronis, coquilles, spaghettis, etc.), l'enfant classe ensemble celles qui sont identiques.

6. L'enfant classe des boutons par couleur, par grosseur, des boutons à deux trous, à quatre trous.

7. L'enfant sépare un jeu de cartes puis met ensemble les cœurs, les carreaux, les piques, les trèfles, les valets, les dames, les rois et les as.

8. Montrez à l'enfant des pièces de monnaie d'un cent, de cinq, dix, vingt-cinq cents, de un dollar et demandez-lui de classer ensemble celles qui sont pareilles.

9. L'enfant classe ensemble les étiquettes identiques des marques de produits ou des sigles de magasins que vous avez découpées dans les circulaires.

10. Découpez des cercles, des carrés, des triangles et demandez à l'enfant de mettre ensemble ceux qui sont identiques.

11. L'enfant place des cercles de différentes grandeurs du plus petit au plus grand. Il reprend l'exercice avec des carrés et des triangles.

12. L'enfant dispose des verres en ordre de hauteur, du plus bas au plus haut ou du plus haut au plus bas.

13. L'enfant place des livres de différentes épaisseurs, du plus mince au plus épais ou du plus épais au plus mince.

14. Jouez aux cartes avec l'enfant. Montrez chacun une carte à la fois; celui qui a la plus forte, c'est-à-dire celui qui a le plus de dessins sur sa carte, gagne. N'utilisez que les cartes de l'as au dix.

ENFANT ENTRE QUATRE ET SIX ANS

Assurez-vous que les exercices précédents sont bien intégrés avant de commencer les suivants. Entre quatre et six ans, l'enfant est capable de compléter ce qui manque, de trouver les jumeaux, de reproduire des modèles, de placer et d'orienter des objets, de trouver les éléments qui varient, etc.

EXERCICES

1. Dessinez une main de quatre doigts, un chandail avec une seule manche, une tête sans cheveux, un visage sans nez, sans bouche, sans oreilles. L'enfant trouve ce qui manque à chacun des dessins.

2. Tendez une ficelle qui sépare la table en deux; à gauche de celle-ci, placez une pièce de un cent et à droite, une pièce de cinq cents, une de dix cents, une de un dollar et une de un cent. L'enfant doit trouver la pièce pareille à celle de gauche. Reprenez en plaçant à gauche de la ficelle une pièce de cinq cents, une de dix cents, une de un dollar, ou une de vingt-cinq cents. Vous pouvez varier le jeu en utilisant quatre pièces dont trois sont pareilles et une est différente; l'enfant doit trouver celle qui diffère des autres.

3. Prenez un jeu de cartes et placez à gauche d'une ficelle un deux, à droite un trois, un cinq et un deux. Demandez à l'enfant de trouver la carte pareille à celle de gauche. Reprenez le jeu avec chacune des cartes.

4. Dressez le couvert sur la table. Par exemple, placez l'assiette, la soucoupe, la tasse, l'assiette à dessert, la serviette de table, la fourchette, le couteau, la cuillère à soupe, la cuillère à café. Demandez à l'enfant de faire la même chose. Recommencez en plaçant les éléments différemment ou en changeant un seul élément de place.

5. Dressez la table comme à l'exercice précédent. Lorsque l'enfant l'a reproduit, retirez un élément et invitez-le à trouver ce qui manque.

6. Regroupez trois boutons d'une même couleur et un d'une couleur différente. L'enfant trouve celui qui est différent des autres. Évitez de placer les trois boutons d'une même couleur les uns à côté des autres.

7. Reprenez le jeu précédent mais en plaçant cette fois un bouton d'une certaine couleur à gauche d'une ficelle et trois à droite, dont un semblable à celui de gauche. L'enfant doit trouver le bouton de la même couleur que celui de gauche. Exemple: un bouton rouge, un bleu, un rouge, un blanc, etc.

8. Déposez des cure-dents sur la table; l'enfant désigne ceux qui sont placés différemment. Exemples:

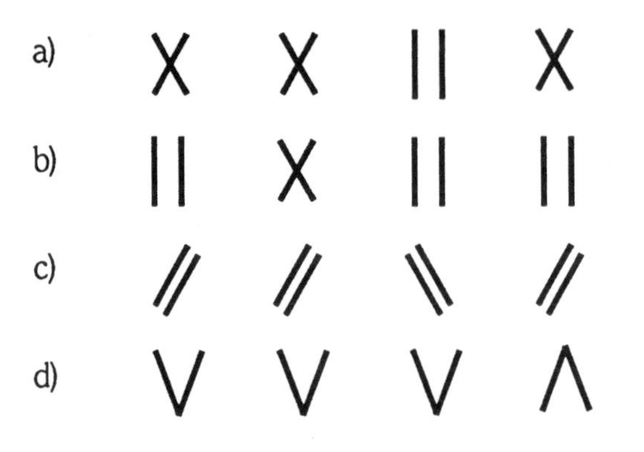

9. Tracez des flèches sur une feuille. L'enfant trouve celle qui est différente.
Exemples:

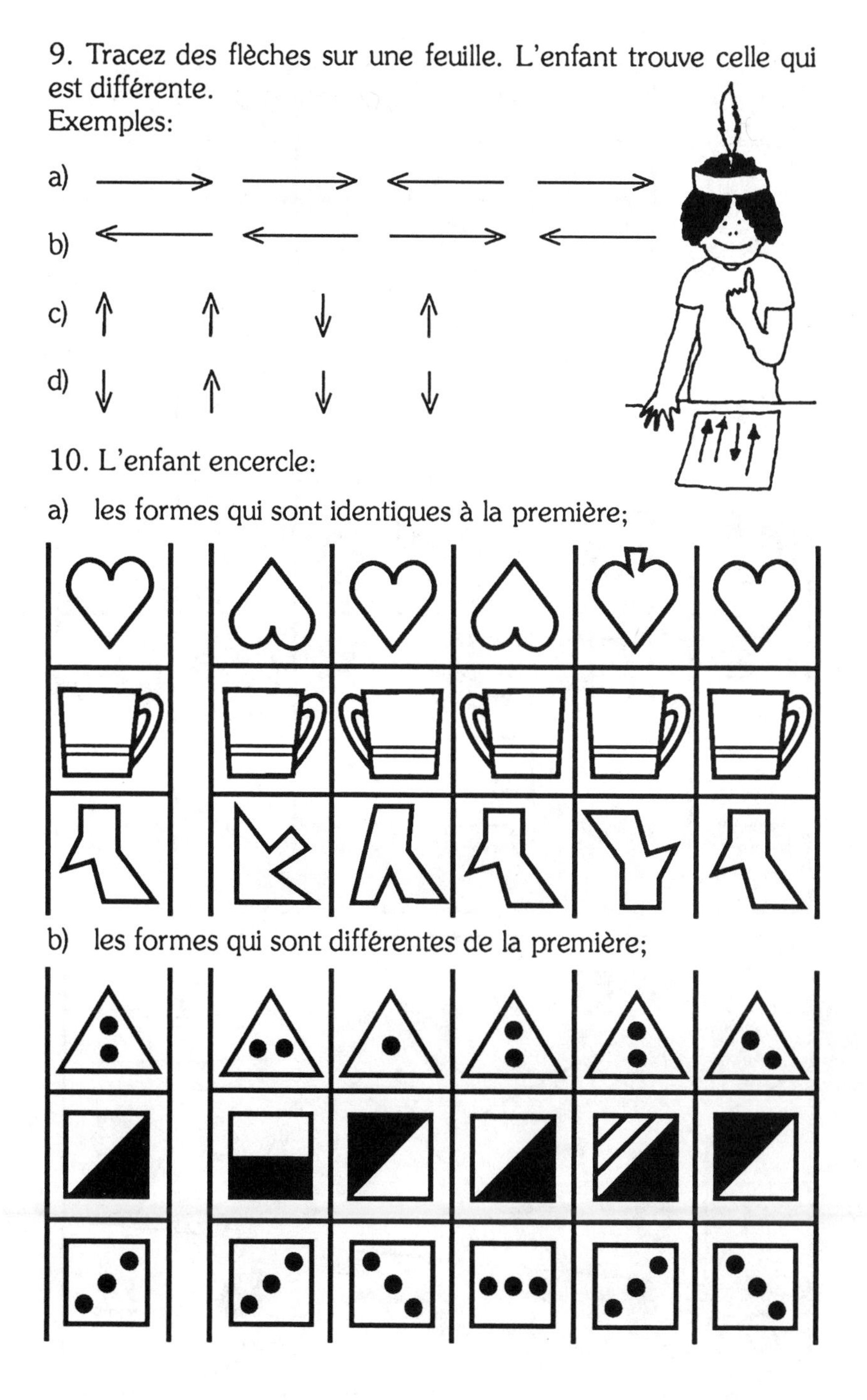

10. L'enfant encercle:

a) les formes qui sont identiques à la première;

b) les formes qui sont différentes de la première;

c) les dessins qui sont identiques au premier;

d) les dessins qui sont différents du premier.

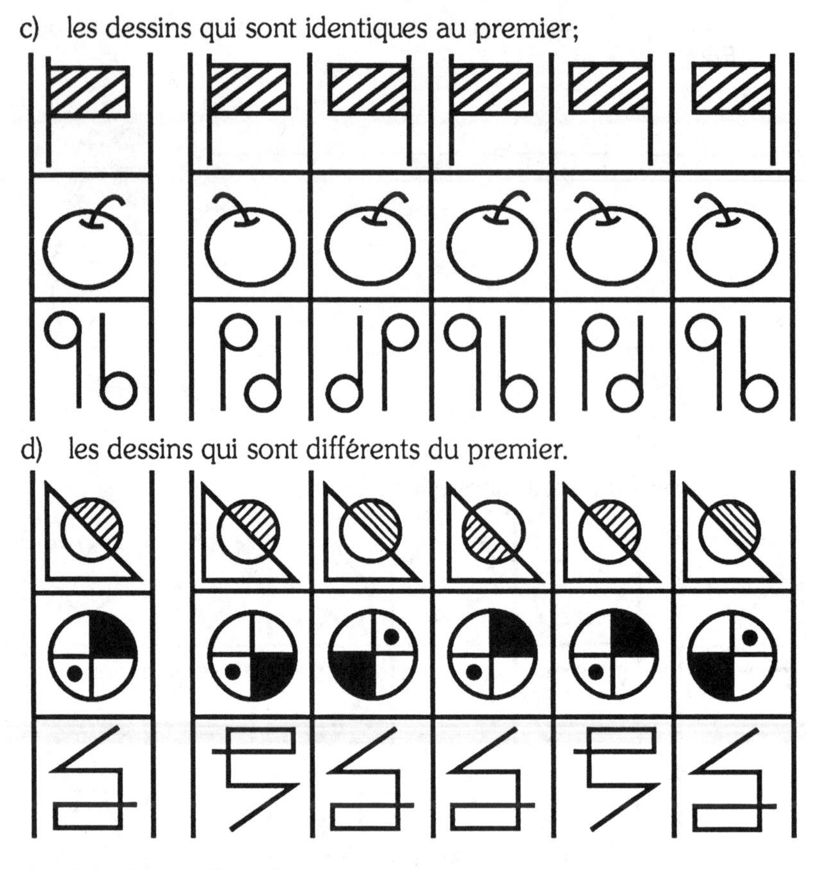

11. L'enfant colorie les espaces où se trouve un «b».

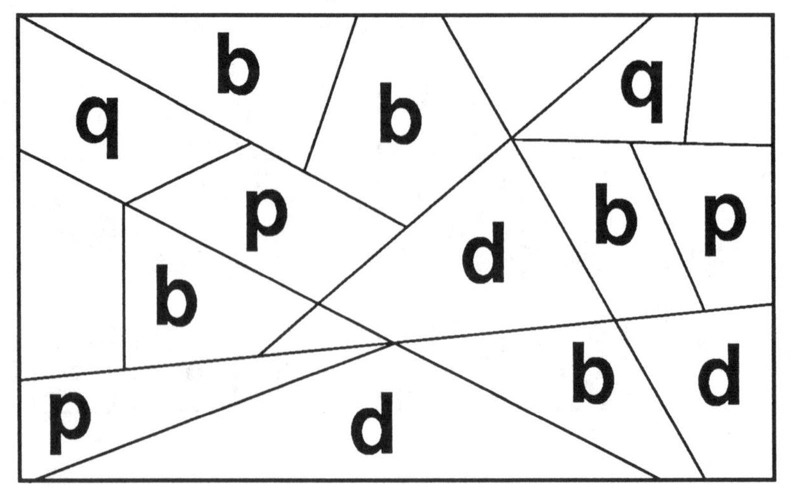

12. L'enfant ajoute ce qui manque aux dessins pour qu'ils soient identiques à l'illustration de gauche.

13. Écrivez le nom de l'enfant en grosses lettres sur un carton et affichez-le sur un mur de sa chambre. Chaque jour, recommencez la même chose avec le nom d'un membre de sa famille ou d'un ami. Mieux encore, demandez à l'enfant le nom de la personne qu'il aimerait apprendre. Faites-lui retrouver et nommer chaque jour les noms affichés.

14. Apprenez à l'enfant à reconnaître certains mots présents dans l'environnement: raisons sociales, marques de commerce, mots inscrits sur les panneaux de signalisation routière, marques de boisson gazeuse, noms de restaurant, supermarchés, dentifrice, etc.

15. En observant les lettres (vous pouvez les appeler dessins) sur les boîtes de céréales, les sacs de biscuits, par exemple, l'enfant essaie de trouver celles qui sont pareilles.

16. Montrez une lettre (dessin) dans le journal et demandez à l'enfant de faire des croix sur celles qui sont pareilles.

17. Découpez des lettres sur les boîtes de céréales, de savon ou autres. Placez-en une à gauche d'une ficelle et quatre différemment orientées à droite. L'enfant trouve la lettre semblable à celle de gauche.
Exemples:

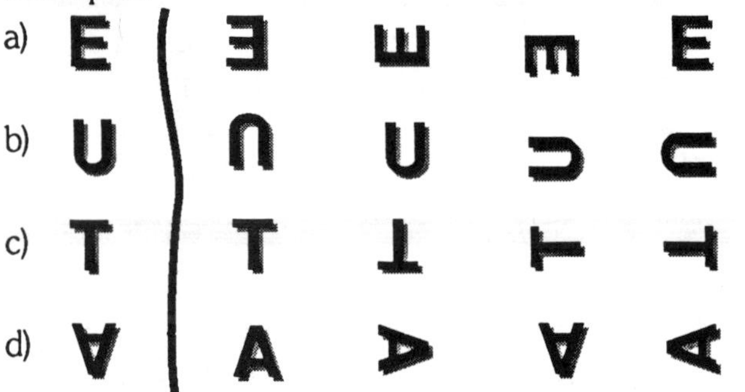

18. L'enfant complète les dessins de droite selon le modèle de gauche.

19. L'enfant complète les dessins en répétant la même chose à droite.

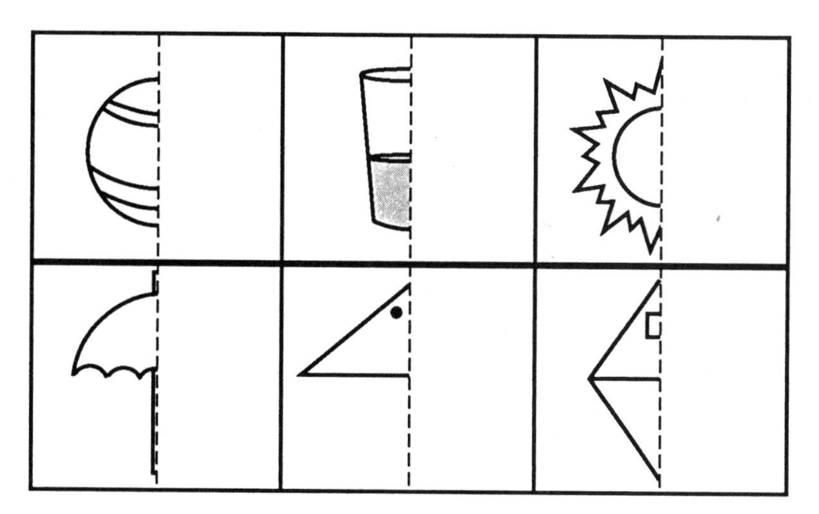

CHAPITRE IX

MÉMOIRE VISUELLE

La mémoire visuelle est la capacité de se rappeler certaines choses ou formes vues. L'enfant doit être entraîné à cette habileté qui lui permettra d'acquérir les automatismes essentiels pour l'apprentissage de la lecture et de l'orthographe. Si l'enfant parvient à se souvenir facilement de la position de certains dessins, par exemple 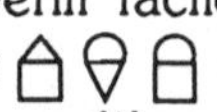 etc., il parviendra aussi facilement à se rappeler la disposition des lettres, l'ordre des mots dans la phrase et à mémoriser certains textes et comptines. Ce qui importe, c'est d'amener l'enfant à devenir conscient des images visuelles qu'il crée et à s'en souvenir.

MATÉRIEL: livre de contes, ballon, corde, cartes à jouer, images, boutons, formes géométriques, boîtes de conserve, curedents, lettres, vêtements.

ENFANT DE DEUX ANS OU PLUS

Il est important de faire des exercices qui développent la mémoire de l'enfant dès qu'il a deux ans. Il faut donc profiter de toutes les occasions de la vie quotidienne pour l'amener à renforcer cette faculté.

Les exercices qui suivent s'adressent aux enfants de deux ans ou plus. Il se peut toutefois que seuls les enfants de cinq ou six ans puissent réussir les plus difficiles.

EXERCICES

1. Suivez un certain trajet dans la maison; après vous avoir observé, l'enfant refait le même chemin.

2. Cachez des objets dans la pièce sous la vue de l'enfant. Demandez-lui ensuite de les retrouver. Lorsqu'il est plus habile, demandez-lui de les retrouver dans l'ordre ou vous les avez cachés.

3. Faites différents mouvements et demandez à l'enfant de les refaire dans l'ordre. Exemples:
a) levez les bras, tapez des mains;
b) sautez; mettez un genou par terre;
c) placez les mains sur la tête, sur les épaules, sur les genoux;
d) mettez-vous à genoux, debout; tournez;
e) placez les mains sur les genoux; sautez; baissez la tête.

4. Nommez trois points fixes dans la pièce (exemple: fenêtre, réfrigérateur, table) et demandez à l'enfant de s'y rendre dans l'ordre où ils ont été nommés.

5. L'enfant regarde son livre de contes et nomme les animaux ou les personnages qu'il y a vus.

6. Montrez un certain nombre de doigts (pas plus de cinq) puis cachez-les. L'enfant montre le même nombre de doigts.

7. Placez le ballon successivement **en haut**, **en bas**, **devant**, **derrière** vous. Demandez à l'enfant de reprendre le même exercice, dans le même ordre.

8. Mettez divers vêtements sur vous (exemple: un chapeau, un gant, un foulard, un chandail, etc.). Retirez un vêtement et demandez à l'enfant de nommer celui qui manque.

9. Montrez à l'enfant deux objets; cachez-en un et demandez-lui de nommer celui qui a disparu. Reprenez en augmentant toujours le nombre d'objets.

10. Lorsque vous êtes dans la cuisine, par exemple, demandez à l'enfant comment est sa chambre, la couleur de son couvre-lit, l'organisation et les couleurs du salon, les couleurs de la salle de bain, ce qu'il y a sur le mur de... Posez-lui également des questions semblables pour la maison de ses grands-parents, oncles, tantes, etc.

11. Alignez trois objets sur la table. Demandez à l'enfant de se retourner et déplacez-les. L'enfant les remet dans l'ordre où ils étaient.

12. Placez trois cartes différentes dans un certain ordre (exemple: un as, un roi, un cinq). Retirez-les et demandez à l'enfant de les remettre dans le même ordre. Variez le jeu en plaçant des cartes différentes.

13. Découpez trois images dans une revue et disposez-les sur la table. Demandez à l'enfant de bien observer. Après les avoir retirées, demandez-lui de les replacer dans le même ordre. Au fur et à mesure que l'enfant réussit, augmentez le nombre d'images.

14. Montrez cinq images à l'enfant. Lorsqu'il les a bien observées, tournez-les à l'envers et demandez-lui où se trouvent, par exemple, le soleil, le gâteau, etc.

15. Placez sur la table deux, trois ou quatre boutons, selon le cas. Retirez-les, puis invitez l'enfant à les remettre en place. Exemples:

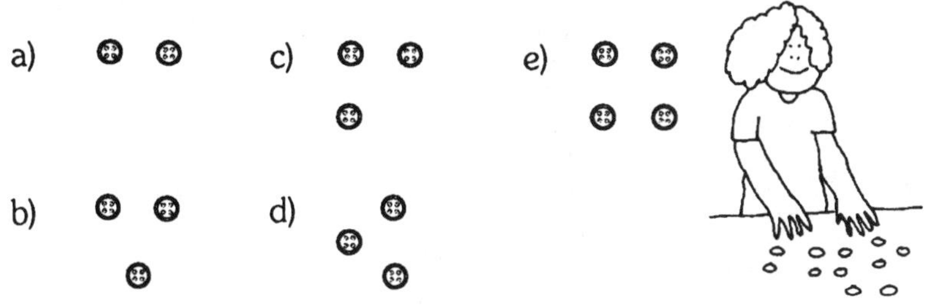

16. Découpez dans un carton un cercle, un carré, un triangle et disposez-les dans un certain ordre. L'enfant refait la même séquence de mémoire.
Exemples:

a)

b)

c)

17. Composez un dessin avec des formes géométriques. L'enfant l'observe et refait le même dessin de mémoire. Exemples:

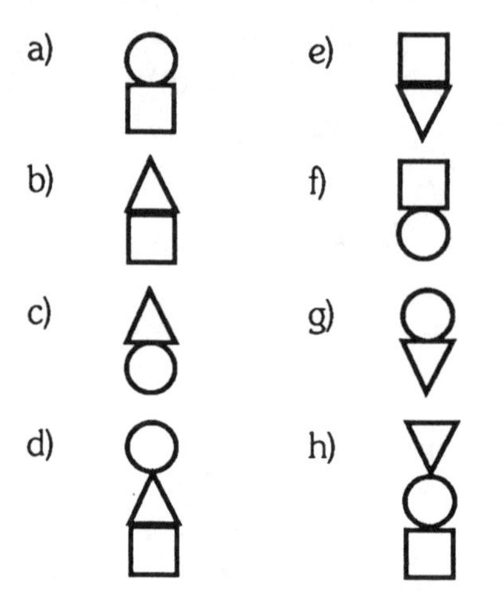

18. Montrez deux pages d'un livre de contes à l'enfant et demandez-lui ce qu'il a vu dans la première page, puis dans la deuxième. (La première page est toujours à gauche.)

19. Montrez trois boîtes de conserve de différentes grosseurs. Lorsqu'elles sont cachées, demandez à l'enfant ce que contenait la grosse boîte, la petite, la moyenne.

20. Préparez des fiches semblables aux modèles ci-dessous. Montrez la fiche un court instant et après l'avoir cachée, demandez à l'enfant de nommer les dessins dans l'ordre. Commencez avec trois éléments et augmentez le degré de difficulté.
Exemples:

a) dessins variés

b) couleurs

c) figures géométriques

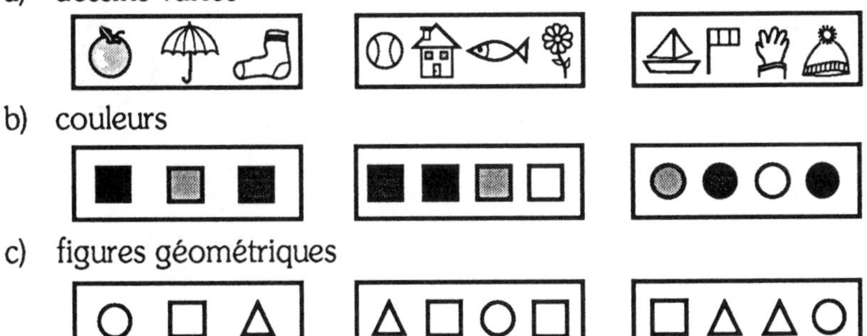

21. Créez un dessin avec des cure-dents et des boutons; déplacez-les et demandez à l'enfant de refaire le même dessin.
Exemples:

22. Établissez un parcours sur le plancher avec une corde. Laissez l'enfant l'observer, puis retirez la corde. L'enfant doit faire le parcours de mémoire.
Exemples:

23. Tracez différentes figures sur une feuille. L'enfant observe le modèle puis, de mémoire, refait les figures.
Exemples:

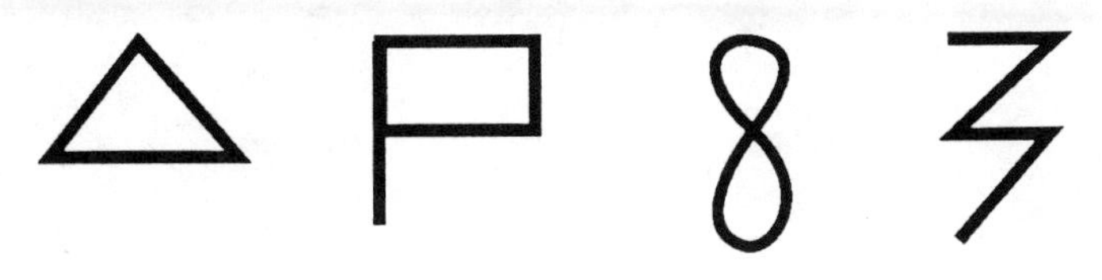

24. Bandez les yeux de l'enfant et guidez-le à travers la maison. L'enfant devine où il est rendu chaque fois que vous arrêtez.

25. Placez deux lettres (dessins) de différentes façons. Après les avoir retirées, demandez à l'enfant de les reproduire.
Exemples:

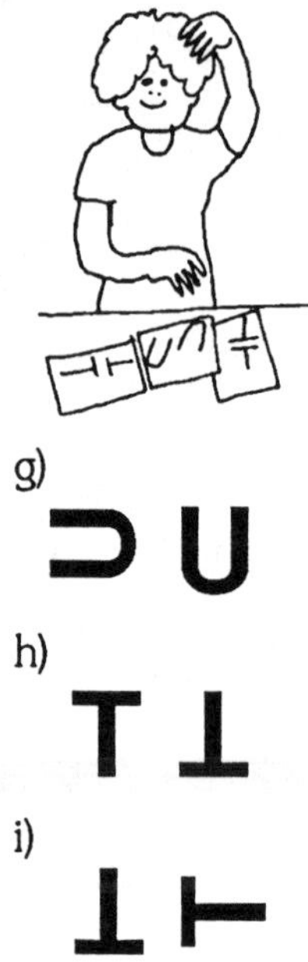

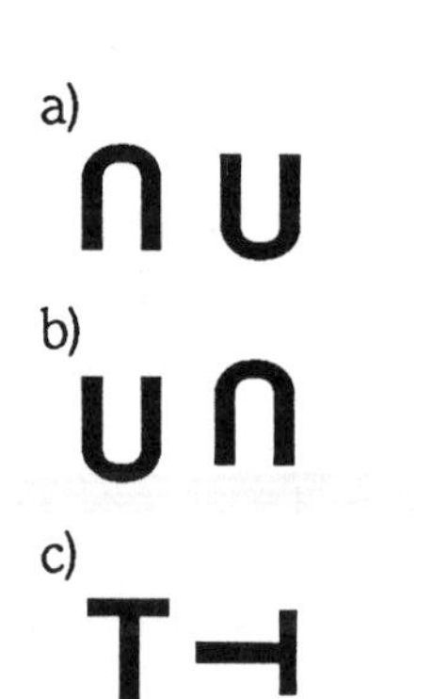

a) d) g)

b) e) h)

c) f) i)

Chapitre X

DISCRIMINATION AUDITIVE

La discrimination auditive est un élément essentiel dans l'acquisition du langage. Certaines difficultés de langage surviennent lorsque l'enfant ne perçoit pas les différences et les ressemblances entre les sons et dans leur succession. La discrimination auditive se fait au niveau des bruits d'abord. Nous devons éveiller l'enfant aux bruits qui lui sont familiers: ceux qui se produisent autour de lui, dans la maison, à l'extérieur, les cris d'animaux, etc. Les exercices porteront sur la hauteur, l'intensité, la durée et la succession des sons.

L'enfant qui sait différencier les sons et les bruits aura plus de facilité à saisir la relation qui existe entre les signes graphiques (lettres) et les signes verbaux (émission du son), ce qui facilitera son apprentissage de la lecture, de l'écriture et du langage, évitant ainsi les confusions de lettres et de mots.

MATÉRIEL: montre, papier, casserole, ustensiles, crayons, boutons, pailles, cure-dents, illustrations d'animaux.

ENFANT DE DEUX ANS OU PLUS

Les exercices qui suivent s'adressent aux enfants de deux ans ou plus. Il se peut toutefois que seuls les enfants de cinq ou six ans puissent réussir les plus difficiles.

EXERCICES

1. À votre demande, l'enfant identifie le bruit de la montre, de l'eau qui coule, du moteur de l'auto, de l'avion, du gros camion, de la moto, de la voiture de police, de la porte qui se ferme. Il écoute aussi le bruit qui se produit lorsque l'on frappe sur la table, froisse du papier, tape du pied, des mains, frappe à la porte, etc.

2. Placez des objets près de l'enfant qui est assis par terre, avec les yeux bandés; asseyez-vous à un mètre de lui et essayez d'aller chercher un objet sans faire de bruit. Si l'enfant vous entend, il essaie d'attraper l'objet.

3. L'enfant imite les cris d'animaux (chat, oiseau, poule, hibou, chien, cochon, vache, canard, cheval, etc.) que vous venez de reproduire.

4. Les yeux bandés, l'enfant identifie les différents sons que vous émettez (frapper des mains, fermer une porte, ouvrir un robinet, frapper sur la table, froisser du papier, souffler dans une bouteille à col étroit, etc.). Recommencez ce jeu avec des cris d'animaux.

5. Montrez à l'enfant des images représentant différents animaux. Demandez-lui d'imiter leur cri.

6. Bandez les yeux de l'enfant et émettez un son. L'enfant essaie alors de vous rejoindre.

7. Bandez les yeux de l'enfant et émettez des sons en vous plaçant devant ou derrière lui. L'enfant doit deviner de quelle direction provient le son.

8. L'enfant se place dos à vous. Lorsque vous sifflez, il s'assoit; lorsque vous chantez, il saute; lorsque vous tapez du pied, il s'accroupit. Vous pouvez varier en faisant entendre différents sons, bruits ou cris d'animaux. Changez également les consignes.

9. Bandez les yeux de l'enfant, placez-vous à différents endroits dans la pièce et imitez le cri d'un animal; l'enfant doit deviner si le bruit vient de loin ou de près.

10. Faites écouter à l'enfant des sons **longs** et **courts:** lorsqu'on frappe un couvercle de casserole, le son est **long,** lorsqu'on frappe sur la table, le son est **court.** Bandez-lui les yeux et demandez-lui si le son que vous émettez est **long** ou **court.**

11. Faites écouter à l'enfant des sons **forts** et **doux;** lorsque l'on frappe sur la table avec un ustensile, le bruit est **fort;** si l'on frappe avec un crayon, le bruit est **doux.** Bandez-lui les yeux, et demandez-lui si le son que vous émettez est **fort** ou **doux.**

12. Imitez une voix **grave** et une voix **aiguë.** Si le son est **grave**, l'enfant baisse la main; s'il est **aigu,** il la lève.

13. Produisez des sons **longs** et **courts.** L'enfant place la moitié d'une paille sur la table lorsque le son est **long** et un cure-dent lorsqu'il est **court.**

14. Faites des bruits **forts** et **doux.** L'enfant place un gros bouton sur la table lorsque le bruit est **fort** et un petit bouton lorsqu'il est **doux.**

15. Produisez des bruits **forts** et **doux.** Lorsque le bruit est **doux,** l'enfant s'accroupit; lorsqu'il est **fort,** il se lève. À l'occasion, émettez deux sons identiques de suite.

16. L'enfant produit des sons **graves** et **aigus** en suivant les modèles ci-dessous. Lorsque la ligne est en bas, il fait un son **grave**, lorsqu'elle est en haut, il fait un son **aigu.**

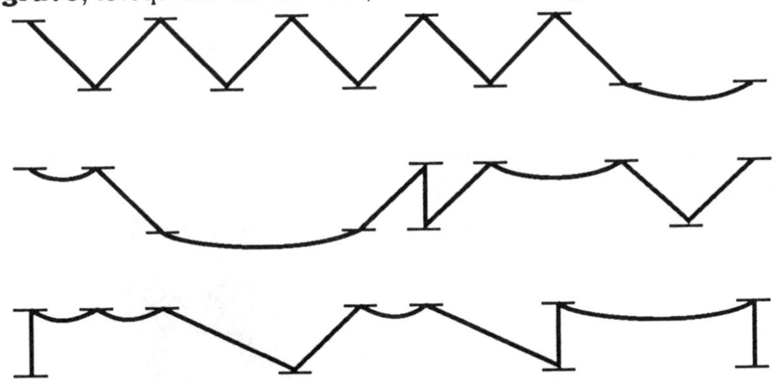

17. Dites deux mots à l'enfant (prononcez lentement) et demandez-lui lequel est le plus long ou le plus court. Vous pouvez lui suggérer des mots d'association.

Exemples:

a) radio, télévision
b) rue, maison
c) film, caméra
d) imperméable, botte
e) lundi, mercredi
f) pied, cheville
g) clôture, cour
h) tulipe, marguerite
i) orange, bleu
j) laine, nylon

18. Le chocolat, c'est bon: M... M... M... (l'enfant se frotte le ventre en même temps qu'il émet le son). Demandez à l'enfant dans quels mots il entend le son «M»: marteau, balle, mouton, mou, robe, moulin, pomme, etc.

19. Imitez le bruit de l'abeille: Z... Z... Z... L'enfant doit découvrir dans quels mots il entend ce bruit: verre, zéro, raisin, plume, magasin, chaise, camion, télévision, zoo, etc.

20. Reproduisez le bruit du loup: OU... OU... OU... L'enfant cherche dans quels mots il entend le son «ou»: poupée, souris, feuille, poule, roue, chemin, radio, trou, coucou, etc.

21. Faites le bruit d'un petit moteur: R... R... R... Demandez à l'enfant de dire si oui ou non il entend ce bruit dans les mots suivants: rat, poule, roi, riz, table, radio, botte, soulier, route, etc.

22. Dites un mot à l'enfant et demandez-lui de vous répondre par un mot qui rime avec le vôtre. Exemples: chameau... rideau; mouton... coton; etc. Variante: nommez deux mots et demandez à l'enfant s'ils riment.

23. Dites un mot à l'enfant et demandez-lui de vous répondre par un mot qui commence par le même son. Exemple: canard... camion; machine... maman; etc. Variante: dites deux mots à l'enfant et demandez-lui s'ils commencent par le même son.

24. Annoncez à l'enfant que vous allez lui raconter une histoire et que vous répéterez souvent un mot en particulier. Il doit découvrir le mot caché dans l'histoire.

25. Enregistrez une histoire. L'enfant regarde le livre en écoutant l'enregistrement. Utilisez ce petit truc si vous devez faire garder votre enfant; avant de se coucher, il pourra entendre une histoire. Le fait que ce soit la voix de son parent le sécurisera.

Chapitre XI

MÉMOIRE AUDITIVE

La mémoire auditive est également très importante puisque l'enfant doit se souvenir des bruits et des sons qu'il a appris à différencier s'il veut les reproduire correctement et au bon endroit lorsqu'il fait l'apprentissage de l'écriture. Toutefois, on ne saurait envisager de lancer l'enfant immédiatement dans cet apprentissage s'il ne peut au préalable se souvenir de simples bruits tels que les cris d'animaux, les sons longs et courts, doux et forts, etc.

MATÉRIEL: rouleau de papier hygiénique, livres de contes, journal, images, cure-dents.

ENFANT DE DEUX ANS OU PLUS

Les exercices qui suivent s'adressent aux enfants de deux ans ou plus. Il se peut toutefois que seuls les enfants de cinq ou six ans puissent réussir les plus difficiles.

Dès l'âge de deux ans, il est important de faire des exercices qui développent la mémoire de l'enfant. Il est donc nécessaire de profiter de toutes les occasions de la vie quotidienne pour amener l'enfant à renforcer cette faculté.

EXERCICES

1. Émettez différents sons à travers un rouleau de papier hygiénique. L'enfant reproduit ensuite les mêmes sons.

2. Reproduisez le cri d'animaux (oiseau, souris, mouton, chat, chien, hibou, cochon, etc.) et demandez à l'enfant de les répéter dans l'ordre. Commencez par deux bruits d'animaux seulement et ajoutez-en un lorsque l'enfant a réussi.

3. Chantez avec l'enfant *Bonhomme, bonhomme, sais-tu jouer?* Profitez de l'occasion pour enregistrer l'enfant. Faites le premier enregistrement en chantant avec lui. L'enfant reprend seul par la suite.

4. Jouez au perroquet. Nommez une courte série de fleurs. L'enfant répète ensuite les noms dans l'ordre. Reprenez le jeu en inversant l'ordre. Exemples:

a) rose, tulipe
b) tulipe, marguerite

c) lis, rose
d) lilas, œillet
e) rose, lis, tulipe
f) œillet, tulipe, marguerite
g) lilas, rose, tulipe
h) tulipe, lis, mimosa

5. Refaites le jeu du perroquet avec des noms d'animaux.
Exemples:
a) chien, chat
b) cheval, mouton
c) canard, poule
d) coq, tortue
e) vache, cochon, chien
f) éléphant, ours, lapin
g) chat, poule, coq
h) girafe, lion, tigre

6. Reprenez le jeu du perroquet avec des noms de fruits.
Exemples:
a) pomme, orange
b) prune, pêche
c) poire, raisin
d) banane, fraise
e) framboise, bleuet, pêche
f) prune, pomme, orange
g) citron, pomme, banane
h) poire, orange, pamplemousse

7. Choisissez deux mots dans un livre de contes et demandez à l'enfant de les répéter dans l'ordre. Ajoutez-en un à mesure qu'il réussit.

8. L'enfant répète une courte phrase que vous venez de lire à haute voix dans le journal.

9. Racontez une histoire à l'enfant et posez-lui ensuite des questions s'y rapportant.

10. L'enfant répète les différents sons que vous émettez: un fort, un moyen, un doux.
Exemples:
a) A (fort), A (moyen), A (doux);
b) OU (doux), OU (moyen), OU (fort);
c) I (moyen), I (fort), I (doux).

11. Prononcez des mots qui se ressemblent et demandez à l'enfant de les répéter.
Exemples:

a) pain, bain
b) ton, don
c) train, grain
d) tout, doux
e) pont, bon
f) font, vont
g) fin, vin
h) pois, bois

12. L'enfant exécute dans l'ordre les mouvements que vous lui demandez de faire. Débutez avec deux, par exemple, «Va chercher le peigne et reviens t'asseoir».

13. Faites des actions différentes et demandez à l'enfant de les refaire dans l'ordre; par exemple, criez «ou-ou», frappez sur la table, tapez des mains.

14. Tapez des mains et invitez l'enfant à placer autant de cure-dents sur la table qu'il a entendu de coups frappés. Commencez avec deux coups et ajoutez-en un à mesure que l'enfant réussit l'exercice.

15. Frappez sur la table avec la main. À chaque coup, l'enfant fait un trait vertical sur une feuille. Il est important de suivre un rythme lorsque vous frappez.
Exemples:

a) II b) III c) IIII d) IIIII e) IIII II

f) III III g) II I h) I III i) II I II I II

j) I II III k) III II l) IIII II II

16. L'enfant répète après vous une série de chiffres.
Exemples:

a) 3 5 8 2 b) 9 4 7 5 c) 9 2 3 8
d) 8 5 4 7 e) 6 1 8 3 4 f) 5 8 3 2 1
g) 4 2 8 7 6 h) 3 9 6 7 1 i) 3 0 5 1 0 5
j) 4 7 0 2 8 6 k) 1 5 3 9 7 6 l) 7 0 4 6 1 9

17. Commencez une phrase et, à tour de rôle, ajoutez un mot. Vous devez toujours répéter la phrase à partir du début.
Exemple:
Vous: Le chat est doux.
Enfant: Le chat est doux, petit.
Vous: Le chat est doux, petit, blanc.
Enfant: Le chat est doux, petit, blanc, mignon.

Chapitre XII

ATTENTION

Afin d'amener l'enfant à faire des apprentissages, il est indispensable de le rendre apte et disponible à recevoir l'information. Pour cela, on doit lui permettre d'acquérir une attitude d'attention: présent à lui-même, il le sera également à ce qu'il fait. L'attention suppose qu'on rend l'esprit disponible pour apprendre ou pour accomplir une tâche en se concentrant sur une chose en particulier et en éliminant toute autre pensée ou activité.

Les exercices proposés dans ce chapitre apprendront à l'enfant à se concentrer et à développer son écoute. Ainsi, lorsque son attention sera soutenue, il sera en mesure d'entreprendre l'apprentissage des matières scolaires.

L'enfant distrait, c'est-à-dire l'enfant qui ne peut fixer son attention et se concentrer, est incapable de suivre la leçon de l'enseignante ou de l'enseignant car il a la tête ailleurs, il rêve à autre chose. Bien souvent, s'ajoute à cette inattention une instabilité motrice.

MATÉRIEL: crayon, ustensiles, livres de contes, boutons, cure-dents, cartons de couleur, figures géométriques, feuilles quadrillées.

ENFANT DE DEUX ANS OU PLUS

Les exercices qui suivent s'adressent aux enfants de deux ans ou plus. Il se peut toutefois que seuls les enfants de cinq ou six ans puissent réussir les plus difficiles.

EXERCICES

1. Dans le calme, l'enfant se couche la tête sur la table et écoute les bruits à l'intérieur et à l'extérieur de la maison. Il dit ensuite ce qu'il a entendu.

2. L'enfant marche dans la pièce sans faire de bruit.

3. Suggérez diverses situations à l'enfant et mentionnez-lui que lorsque vous direz «dors», il devra s'immobiliser et, inversement, lorsque vous direz «bouge», il devra continuer l'activité. Exemples d'activités:

a) ramper comme un vers;
b) marcher comme un canard;
c) danser comme une ballerine;
d) sauter comme un kangourou.

4. L'enfant marche librement dans la pièce pendant que vous tapez des mains. Il s'immobilise dès que vous cessez de frapper. Reprenez l'exercice, mais cette fois l'enfant marche sur une ligne droite sans mettre le pied à côté, puis revient à reculons.

5. L'enfant court dans la pièce et s'arrête lorsque vous lui montrez un crayon.

6. Parlez à l'enfant en chuchotant et demandez-lui de répéter ce qu'il a entendu.

7. Asseyez-vous face à l'enfant et faites des signes avec les mains. L'enfant regarde et reproduit la même chose.
Exemples:
a) fermer et ouvrir les mains;
b) écarter les doigts;
c) saluer;
d) fermer et ouvrir les pouces;
e) pianoter sur ses genoux;
f) faire des pichenettes.

8. Lorsque vous frappez des mains, l'enfant marche comme le chat; lorsque vous cessez de frapper, il saute comme le lapin.

9. L'enfant cherche dans ses livres de contes des animaux à deux pattes, à quatre pattes, des fleurs et des fruits.

10. À la suite de vos instructions, l'enfant prend certaines positions qu'il exécute dans l'ordre:
Exemple:
a) couché sur le ventre, à genoux, couché sur le dos;
b) assis, couché sur le dos, derrière la chaise;
c) dos au mur, à genoux, face au mur.

11. Lorsque vous montrez une cuillère, l'enfant marche comme la girafe qui a un long cou; lorsque vous montrez une fourchette, il s'assoit sur la chaise; lorsque vous montrez un couteau, il rampe sur le ventre comme le serpent.

12. Lorsque vous levez le bras, l'enfant marche; lorsque vous frappez des mains, il saute sur le bout des pieds; lorsque vous croisez les bras, il marche à reculons.

13. Préparez un carton rouge, un bleu et un vert. Lorsque vous montrez le carton rouge, l'enfant avance sur les genoux; lorsque vous montrez le carton bleu, il saute sur un pied; lorsque vous montrez le carton vert, il marche à quatre pattes.

14. Préparez des cartons de différentes couleurs. Montrez-en trois un moment et, après les avoir retirés, demandez à l'enfant de les nommer dans l'ordre. Continuez l'activité en ajoutant progressivement de nouveaux cartons.

15. Demandez à l'enfant d'aligner sur la table une série de boutons de gauche à droite.
Exemples:
a) un bleu, un rouge;
b) un noir, un jaune;
c) un rouge, deux bleus;
d) un blanc, un noir;
e) deux rouges, un jaune;
f) deux noirs, deux bleus.

16. Lorsque vous montrez la main fermée, l'enfant place un bouton sur la table; lorsque vous montrez la main ouverte, il place un cure-dents; lorsque vous montrez deux doigts, il place un crayon.

17. Sur la table, placez dans un certain ordre une cuillère, une fourchette et un couteau. Enlevez-les et demandez à l'enfant de les replacer dans le même ordre.

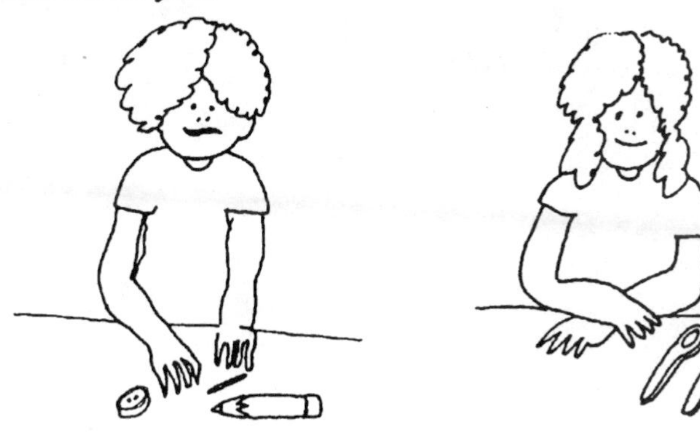

18. Disposez différents objets sur la table. L'enfant les regarde un instant et se retourne par la suite. Changez un objet de place et demandez à l'enfant de trouver ce qui est déplacé. Reprenez le jeu en déplaçant plus d'objets et en en ajoutant à mesure que l'enfant réussit.

19. L'enfant reproduit sur une feuille quadrillée les signes qui correspondent aux bruits émis. Préparez vos dictées de signes à l'avance en vous inspirant des modèles ci-dessous. Il est important de toujours frapper au même rythme. Commencez par une période de cinq minutes et allongez jusqu'à une durée totale de quinze minutes.

Exemples:

O frappez sur une casserole;

— frappez sur la table;

+ frappez dans vos mains.

O	O	–	O	+	–
O	+	+	–	O	–
–	O	+	–	O	+

+	O	–	–	+	+
O	–	O	–	+	–
–	O	+	O	O	–

20. Inventez des mots de trois à cinq syllabes et demandez à l'enfant de les répéter.

Exemples:

a) radébli
b) contrafil
c) argibol
d) tricopar
e) optrumed
f) bloutavert
g) carisotel
h) pulonifer

21. Lisez un texte à l'enfant et demandez-lui de frapper dans ses mains chaque fois qu'il entend un nom d'animal, de personne, de fleur, etc. (On peut inventer le texte au fur et à mesure.)
Exemple:

> Hier, j'ai vu un chien qui courait après le chat de mon voisin. Ce vilain chaton a mangé trois poissons et un oiseau bleu. Le chien est plus rapide que l'agneau mais plus petit que le cheval. J'ai vu la jument avec le cheval. Ils galopaient dans le champ avec leur ami le lièvre. Le lièvre court plus vite que la tortue, mais il est étourdi.

22. Sur une feuille quadrillée, l'enfant fait un + dans une case lorsque vous montrez un carré, un X lorsque vous lui montrez un triangle et un • (point) lorsque vous montrez un cercle. Exhibez les figures géométriques en suivant toujours le même rythme. Préparez vos feuilles de dictées à l'avance.

Code:
□ = +
△ = X
○ = •

+	•	X	•	X	+
•	•	X	+	•	X
+	•	X	X	•	+

•	+	•	X	X	•
+	•	X	•	•	+
X	•	X	+	•	X

23. Donnez une feuille quadrillée à l'enfant. Dites-lui que chaque carré représente un pas et qu'il devra tracer la route que vous lui indiquerez. Exemple: faites-lui d'abord un point pour lui indiquer le départ et demandez-lui de faire un pas à droite, deux pas en bas, un autre à gauche, etc.
Exemples:

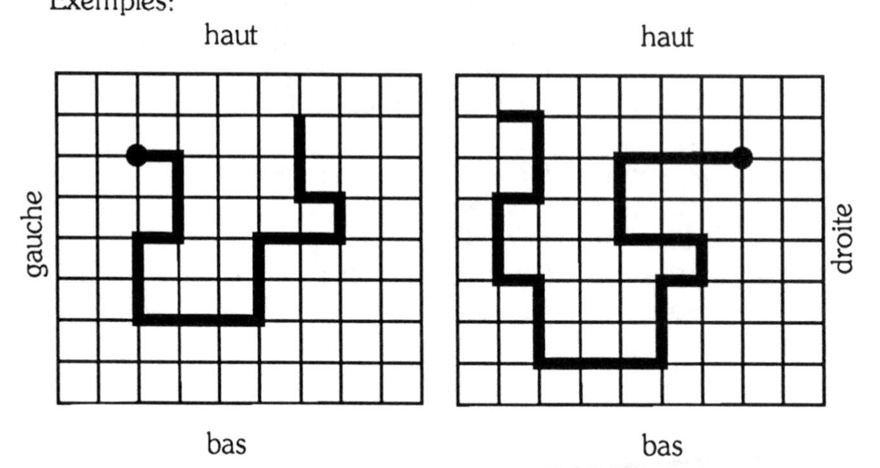

24. Dessinez une maison, par exemple, et reproduisez-la à côté en omettant des détails. (Vous pouvez également conserver les jeux des erreurs que l'on trouve dans les journaux.) Demandez à l'enfant d'encercler les endroits où il y a des erreurs.

Chapitre XIII

RAISONNEMENT ET PRÉPARATION AUX MATHÉMATIQUES

Combien d'enfants répondent à tort et à travers lorsqu'on les questionne, justement parce qu'on ne les a pas habitués à raisonner! On doit quotidiennement fournir à l'enfant l'occasion de penser et de réfléchir, ce qui le rendra plus apte à juger et à résoudre des problèmes. Chaque fois que l'occasion se présente, expliquez-lui le fonctionnement et l'utilité des objets qui l'entourent, le rapport et le lien qui existent entre eux. Amenez-le à se poser des questions, à trouver des solutions, à expliquer comment il a fait telle ou telle chose. L'enfant qui a appris à raisonner a beaucoup plus de facilité à comprendre et à résoudre les problèmes qui s'offrent à lui, ce qui favorise son développement intellectuel.

Avant d'aborder l'apprentissage des mathématiques, il serait nécessaire que l'enfant connaisse certaines notions préparatoires qui lui faciliteront l'accès à cet univers.

Ainsi, l'enfant devra:

- distinguer les couleurs primaires;
- connaître les notions spatiales suivantes: sur, sous, dessus, dessous, haut, bas, près, loin, entre, à côté, de chaque côté, milieu, intérieur, extérieur, derrière, devant;
- savoir les différences entre long et court, plein et vide, épais et mince, plus et moins, ajouter et enlever;

- reconnaître les formes géométriques suivantes: le cercle, le carré, le rectangle et le triangle;
- apprendre les équivalences telles que: peu, beaucoup, autant, égal, même longueur, épaisseur, en entier, en partie;
- apprendre à former des ensembles en regroupant, en encerclant, en formant des groupes selon la quantité, la grandeur, la longueur, l'épaisseur, la largeur ou selon d'autres propriétés;
- reconnaître les chiffres de un à dix.

MATÉRIEL: formes géométriques en papier, boutons, crayons de cire, revues, catalogues, livre de contes, tissus, pâte à modeler, laine.

ENFANT DE DEUX ANS OU PLUS

Les exercices qui suivent s'adressent aux enfants de deux ans ou plus. Il se peut toutefois que seuls les enfants de cinq ou six ans puissent réussir les plus difficiles.

EXERCICES

1. L'enfant vous aide à faire le tri des boutons. Placez un bouton rouge d'un côté en mentionnant le nom de la couleur et demandez à l'enfant de sortir tous les rouges. Déposez un bouton bleu et demandez-lui de sortir tous les bleus. Continuez avec les jaunes, les blancs, les verts, les orangés, etc. Demandez ensuite à l'enfant de montrer les boutons rouges, les bleus, les jaunes, et ainsi de suite.

2. L'enfant doit trouver dans la maison des objets rouges, des bleus, des jaunes, des verts. S'il ne se souvient pas de la couleur, montrez-lui un bouton rouge et demandez-lui de trouver tout ce qui est rouge comme le bouton.

3. L'enfant dessine et colorie des boutons rouges, des bleus, des jaunes, etc.

4. L'enfant découpe dans des revues des objets rouges, bleus, jaunes, verts et orangés. Il les colle dans son cahier en changeant de page pour chacune des couleurs.

5. L'enfant découpe dans des revues:

a) des animaux;
b) des aliments;
c) des vêtements;
d) des meubles;
e) tout ce qui peut rouler (bicyclettes, poussettes, automobiles, etc.).

Il colle chacun de ces éléments dans son cahier et les nomme un à un.

6. L'enfant énumère d'abord des objets et des aliments chauds, puis des objets et des aliments froids.

7. L'enfant apprend le nom exact des appareils électriques et leur utilité.

8. L'enfant nomme tout ce que l'on trouve dans une salle de bain, dans une cuisine, un salon, etc. Aidez-le au besoin *en employant les termes justes.*

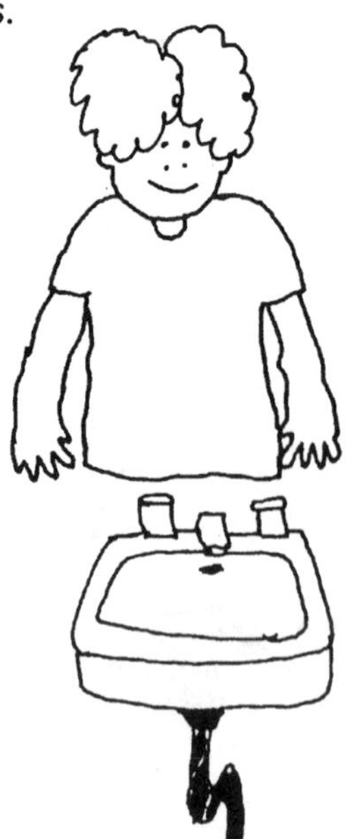

9. Prenez des retailles de tissu et demandez à l'enfant de trouver celles qui sont en laine, en coton, en soie, etc. Il colle ensuite ces pièces dans son cahier.

10. Apprenez à l'enfant le nom des animaux et de leurs petits.
Exemples:

a) chat/chaton
b) chien/chiot
c) souris/souriceau
d) ours/ourson
e) girafe/girafeau
f) lion/lionceau
g) cheval/poulain
h) lapin/lapereau
i) vache/veau
j) canard/caneton
k) éléphant/éléphanteau
l) poule/poussin

11. L'enfant cherche des moyens de transport dans des revues. Demandez-lui ce qui va le plus vite, le plus lentement.

12. Apprenez à l'enfant les aliments que nous fournissent les animaux: la poule nous donne les œufs, le porc nous donne le jambon, la saucisse, la vache fournit le lait, etc.

13. Enseignez à l'enfant le nom des «maisons» des animaux: le chien habite la niche, l'oiseau habite le nid, la vache habite l'étable, le lapin habite le clapier, le cheval habite l'écurie, etc.

14. Demandez à l'enfant de nommer des aliments salés et des aliments sucrés.

15. L'enfant énumère les animaux domestiques, ceux qui vivent à la ferme, dans la jungle, etc.

16. L'enfant nomme des animaux qui peuvent voler, d'autres qui peuvent courir ou nager.

17. Dans un livre d'histoires, montrez deux animaux à l'enfant. Il trouve celui qui court le plus vite, puis celui qui est le plus gros en réalité.

18. Demandez à l'enfant de nommer des animaux plus petits que le chien, plus gros que le chien, plus petits que la souris, plus gros que l'âne, etc.

19. Lorsque vous dites le mot «air», l'enfant nomme quelque chose qui vole; lorsque vous dites le mot «terre», il répond par un animal qui marche; lorsque vous prononcez le mot «mer», il nomme un élément qui se rapporte à la mer.

20. Découpez les dessins représentant les cinq sens et demandez à l'enfant de montrer le sens approprié à la phrase que vous lui dites.

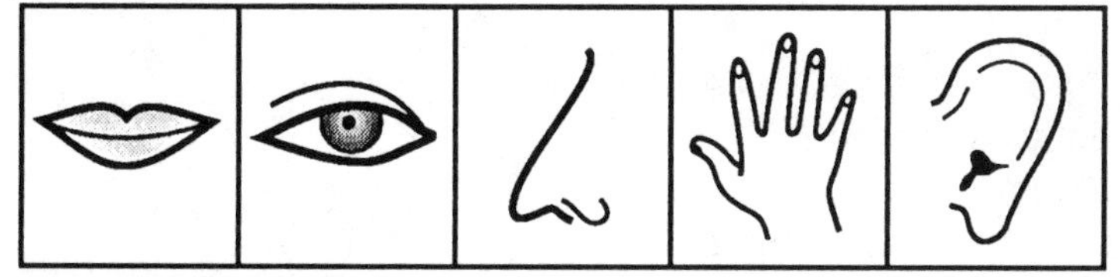

Exemples:

a) Je mange une bonne pomme (le goût).
b) La cloche sonne (l'ouïe).
c) Mon pantalon est bleu (la vue).
d) Le poil du chat est doux (le toucher).
e) Je sens l'odeur de la soupe (l'odorat).
f) J'aime écouter la radio (l'ouïe).
g) Le chocolat est sucré (le goût).
h) Le chien passe devant la maison (la vue).
i) L'écorce de l'arbre est rugueuse (le toucher).
j) Je me demande quel parfum se dégage dans la pièce (l'odorat).

21. Disposez sur la table (sans les mettre ensemble) trois ustensiles différents, trois vêtements, trois jouets et invitez l'enfant à les regrouper par association, c'est-à-dire à regrouper ceux qui vont ensemble, par exemple le verre avec la casserole et l'assiette, etc. Demandez-lui d'expliquer sa réponse.

22. Donnez une liste de mots à l'enfant et invitez-le à trouver l'intrus. Demandez-lui également d'expliquer sa réponse. Exemples:

a) poire, pomme, ballon, banane;
b) carotte, table, brocoli, chou;
c) livre, marteau, tournevis, pince;
d) réfrigérateur, aspirateur, lave-vaisselle, voiture;
e) niche, poulailler, chien, écurie;
f) pied, robe, pantalon, bas;
g) reine, bébé, princesse, roi;
h) père, frère, cousine, mère.

23. Apprenez les formes géométriques à l'enfant:

a) Montrez à l'enfant un cercle et nommez cette figure. Faites-lui en faire le tour avec son doigt pour qu'il apprenne que cette forme est ronde et qu'elle peut rouler.
b) Montrez-lui le carré, nommez-le, faites-lui en faire le tour avec son doigt, expliquez-lui qu'il a quatre côtés égaux.
c) Montrez le triangle, nommez-le, faites-lui en faire le tour avec son doigt, et portez son attention sur le fait qu'il a trois côtés.

d) Montrez le rectangle, nommez-le, faites-lui en faire le tour avec son doigt, montrez qu'il a deux grands côtés égaux et deux petits côtés égaux qui se font face.
e) L'enfant reproduit les figures géométriques avec de la pâte à modeler, de la pâte à sel, des bouts de laine, de la corde, etc.

24. Placez sur la table les figures géométriques et invitez l'enfant à trouver:
a) le cercle;
b) le carré;
c) le triangle;
d) le rectangle.

25. Demandez à l'enfant de trouver dans la maison des objets qui ont la forme:
a) d'un cercle;
b) d'un carré;
c) d'un triangle;
d) d'un rectangle.

26. Placez des boutons sur la table et encerclez-en quelques-uns avec une ficelle. Demandez à l'enfant de trouver ceux qui sont à l'**intérieur** du lac et ceux qui sont à l'**extérieur.** Variez l'exercice avec différents objets et formes géométriques. Il serait bon de reprendre ces exercices par la suite en les reproduisant sur des feuilles. Par exemple, l'enfant dessine ou marque d'un «X» les objets et les animaux qui se trouvent à l'intérieur ou à l'extérieur d'un champ.

27. Placez des boutons sur la table et demandez à l'enfant de vous donner **un** ou **plusieurs** boutons afin de l'amener à connaître la différence entre ces deux termes.

28. Placez deux ou trois boutons dans une soucoupe et demandez à l'enfant d'en déposer **autant** dans une autre. Reprenez l'exercice en dessinant les objets sur une feuille. Par exemple, l'enfant trace **autant** de gouttes de pluie que vous avez dessinées, **autant** de pétales à la fleur, etc.

29. Disposez quatre boutons sur la table et demandez à l'enfant d'en placer **plus, moins, autant.** Reprenez en utilisant de un à cinq boutons. Refaites l'exercice sur des feuilles: l'enfant dessine **plus, moins** ou **autant** de cerises que dans l'exemple.

30. Placez un nombre pair de boutons sur la table (pas plus de dix) et demandez à l'enfant de les placer en deux groupes **égaux.**

31. À l'aide de boutons ou de divers objets, amenez l'enfant à connaître la valeur des nombres de un à cinq. Placez par exemple deux boutons dans une soucoupe et demandez à l'enfant d'en mettre deux dans chacune des autres soucoupes. Reprenez avec des quantités de un à cinq. Variez les exercices en dessinant des objets sur une feuille et demandez à l'enfant d'en dessiner **autant.** («Par exemple, dessine deux pommes dans chaque sac, trois cercles sur chaque coccinelle.»)

32. Faites différents groupements de boutons sur la table et invitez l'enfant à trouver les groupes de deux boutons, trois boutons, etc. Reprenez l'exercice sur des feuilles. Par exemple, dessinez des dés et demandez à l'enfant d'encercler ceux qui ont trois points.

33. Faites différents groupements de boutons sur la table de manière à ce qu'il y en ait de un à cinq par groupe. Demandez à l'enfant d'ajouter ou d'enlever des boutons pour qu'il y ait le même nombre dans chaque ensemble. Puis, reprenez l'exercice sur des feuilles: l'enfant dessine les éléments qui manquent ou biffe ceux qu'il y a en trop pour en avoir le même nombre dans chaque groupe.

34. L'enfant confectionne des groupes de deux, trois, quatre ou cinq boutons. Puis il dessine sur des feuilles divers éléments qu'il regroupe par deux, trois, quatre ou cinq en les encerclant.

35. Apprenez à l'enfant à compter jusqu'à dix.

36. Enseignez à l'enfant son nom, son âge, son numéro de téléphone, son adresse, son code postal, sa ville.

37. L'enfant trie des boutons déposés sur la table et regroupe ceux qui sont semblables selon ses propres critères de classement (couleur, grandeur, boutons à deux trous, à quatre trous, etc.). Demandez-lui pourquoi il a regroupé les boutons de telle ou telle façon et s'il peut les classer différemment.

38. Donnez à l'enfant deux boutons bleus et un bouton rouge. Invitez-le à trouver toutes les façons possibles de les aligner. Demandez-lui chaque fois lequel est en premier, en deuxième, en dernier.
Solution: B-B-R R-B-B B-R-B

39. Reprenez l'exercice précédent avec quatre boutons. Ce peut être, par exemple, deux boutons rouges et deux jaunes, ou un bouton jaune et trois bleus.

40. Donnez quatre boutons de même couleur à l'enfant et dites-lui de les séparer en deux groupes. Faites-lui trouver toutes les façons différentes de constituer deux groupements.
Solution:

● - ● ● ● ● ● - ● ● ● ● ● - ●

Reprenez l'exercice avec cinq boutons.
Solution: ● - ● ● ● ● ● ● - ● ● ●

● ● ● - ● ● ● ● ● ● - ●

41. L'enfant recommence les deux exercices précédents avec le même nombre de boutons mais de deux couleurs différentes.

42. Découpez des images représentant des personnes ou des vêtements dans les catalogues et regroupez-les de façon qu'il y ait une propriété commune entre elles. Par exemple: ce sont toutes des filles; chacun porte un vêtement rouge; ils ont tous des souliers bruns; les chemises ont toutes des manches courtes, etc. Demandez à l'enfant de trouver ce qu'ils ont de pareil.

43. Posez à l'enfant différents problèmes tels ceux ci-dessous pour l'amener à réfléchir et à raisonner.

a) Combien as-tu de doigts dans chaque main?
b) Il y a deux poules dans le poulailler; combien vois-tu de pattes?
c) Il y a deux chiens dans la cour; combien vois-tu de pattes?
d) Tu vois un tricycle et une bicyclette dans la rue; combien y a-t-il de roues?
e) Il y a une chaise et une table dans la cuisine; combien y a-t-il de pieds?
f) Combien y a-t-il de mitaines dans la paire que tu enfiles?
g) Tu as une paire de bas et une paire de gants; combien as-tu de vêtements?
h) Tu as trois paires de boucles d'oreilles; combien as-tu de boucles d'oreilles?
i) Si je coupe ma pomme en moitiés, combien aurai-je de morceaux de pomme?
j) Si je coupe deux oranges en moitiés, combien aurai-je de morceaux d'orange?

44. Apprenez à l'enfant à reconnaître les pièces de monnaie.

45. Familiarisez l'enfant avec les mesures métriques suivantes.

a) La largeur de ton ongle mesure un centimètre.
    - Nomme-moi des animaux ou des objets qui mesurent un centimètre.
    - Parmi les objets que je te nomme, choisis ceux qui mesurent un centimètre.
    - Trouve dans le catalogue des objets qui mesurent en réalité un centimètre et colle-les dans ton cahier ou sur une feuille.

b) La largeur de ta main mesure un décimètre.
   - Nomme-moi des animaux ou des objets qui mesurent un décimètre.
   - Parmi les objets que je te nomme, choisis ceux qui mesurent un décimètre.
   - Trouve dans le catalogue des objets qui mesurent en réalité un décimètre et colle-les dans ton cahier ou sur une feuille.

c) Étends tes bras. La distance qu'il y a entre tes deux mains mesure un mètre.
   - Nomme-moi des animaux ou des objets qui mesurent un mètre.
   - Parmi les objets que je te nomme, choisis ceux qui mesurent un mètre.
   - Trouve dans le catalogue des objets qui mesurent en réalité un mètre et colle-les dans ton cahier ou sur une feuille.

46. Apprenez à l'enfant à reconnaître les chiffres de un à dix. Écrivez-les en gros caractères et demandez-lui de:
a) passer sur les chiffres avec un doigt de sa main dominante;
b) faire des serpents avec de la plasticine et les placer sur les chiffres;
c) reproduire les chiffres en dessous du modèle avec la plasticine;
d) passer par-dessus les chiffres avec un crayon;
e) écrire les chiffres sur une feuille en regardant le modèle;
f) reproduire les chiffres sans regarder le modèle.
Après les exercices, affichez les chiffres en permanence sur le mur de sa chambre.

47. Donnez à l'enfant la responsabilité de classer le papier, le plastique et le verre pour le recyclage et la collecte sélective.

48. Préparez des exercices semblables à ceux-ci et demandez à l'enfant de relier ce qui va ensemble.

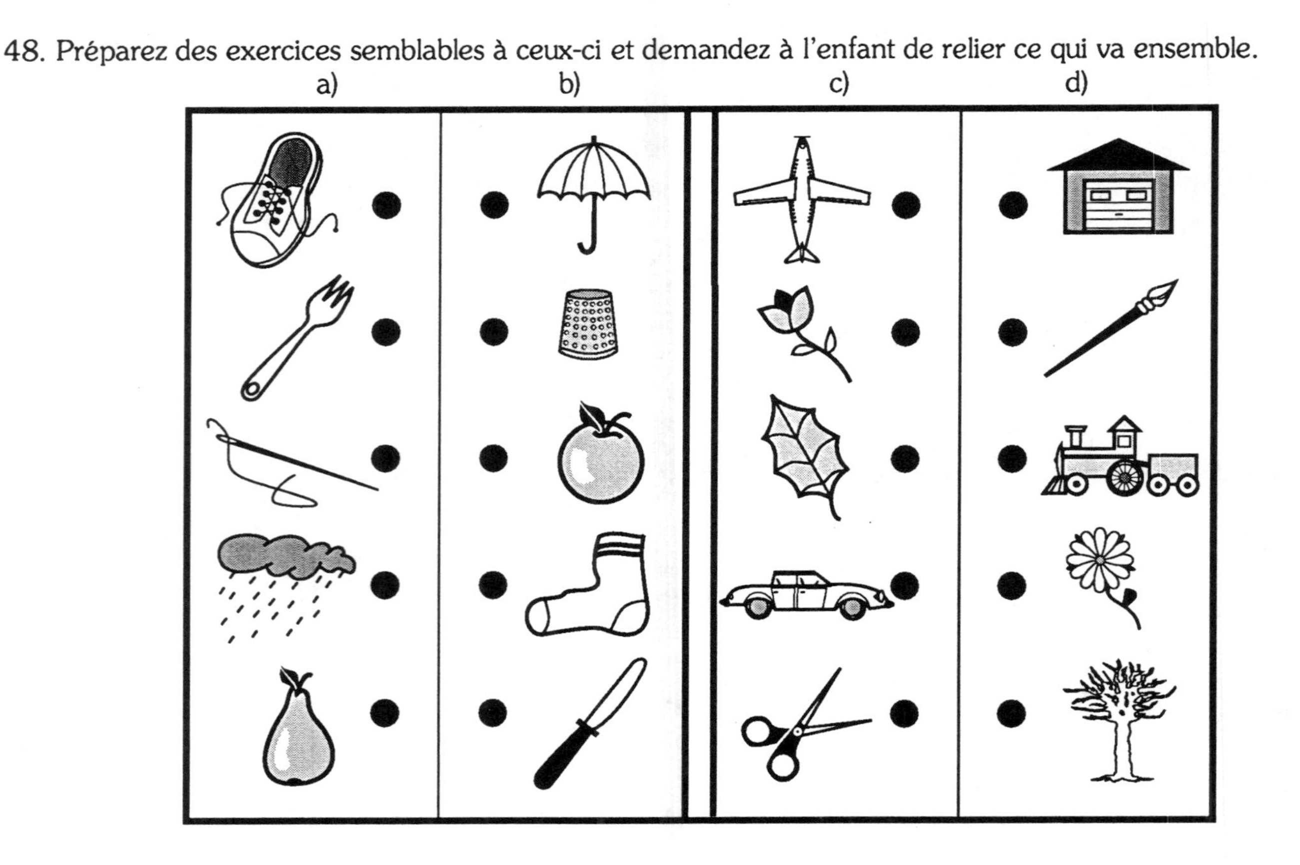

49. Préparez des exercices semblables à l'exemple qui suit:
a) dessine une pomme avant le gros cercle;
b) dessine un soleil avant le petit carré;
c) dessine des gouttes de pluie après le petit triangle;
d) dessine une banane après le gros triangle;
e) dessine une fleur après le petit cercle;
f) dessine un sapin avant le gros carré.

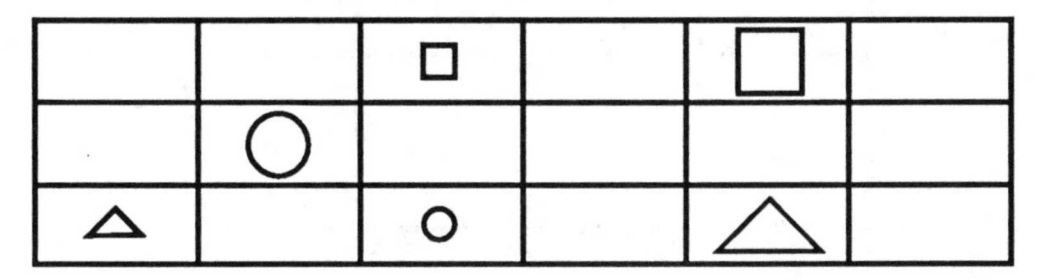

50. Préparez des tableaux à doubles entrées, semblables à ceux-ci. L'enfant découpe les éléments du deuxième tableau en suivant le pointillé, et colle le dessin dans la bonne rangée en vérifiant s'il correspond aussi à la bonne colonne*.

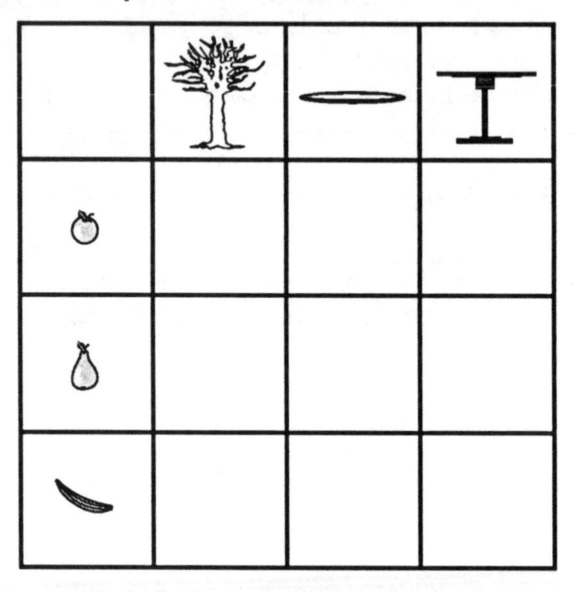

* Afin d'amener l'enfant à comprendre plus facilement les tableaux à doubles entrées, reproduisez-les sur de grands cartons avec des objets. À l'aide de deux règles qui se rejoignent, l'enfant peut trouver les deux figures qui vont dans la case.

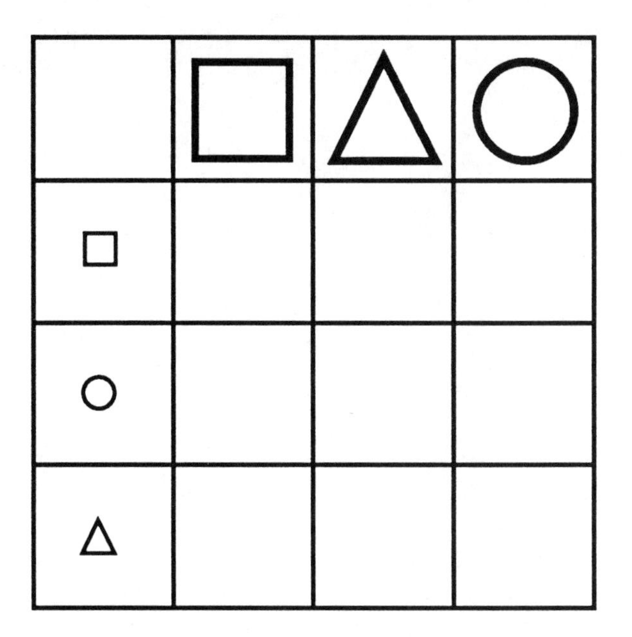

Chapitre XIV

EXPRESSION ORALE

Le langage étant le moyen d'exprimer et de communiquer aux autres ce que l'on pense et ce que l'on ressent, il s'avère donc important d'en favoriser très tôt chez l'enfant le développement harmonieux. C'est d'ailleurs entre deux et trois ans que l'enfant acquiert le plus grand nombre de mots et que s'accomplissent les progrès les plus spectaculaires, un véritable épanouissement du langage.

N'hésitez donc pas à verbaliser beaucoup pour que l'enfant soit imprégné du langage de son entourage. Saisissez toutes les situations naturelles de communication et présentez des situations qui découlent d'un besoin réel et bien senti d'entrer en communication avec les autres pour permettre à l'enfant de s'exprimer.

L'observation directe étant le meilleur moyen d'enrichir le vocabulaire de l'enfant, il serait donc souhaitable de lui procurer des lotos simples à base d'images, des livres, des revues, des catalogues à feuilleter, etc. Plus son vocabulaire est étendu plus l'enfant est bavard et plus il est facile pour lui de se représenter des images mentales. Également, pour aider l'enfant dans l'apprentissage du langage aussi bien que dans l'éveil de son imagination, il n'y a rien de mieux que de lui raconter des histoires ou de feuilleter avec lui des livres illustrés.

Afin de stimuler la communication, il convient de parler à voix haute, de parler de ce que vous faites, de ce que fait l'enfant, de compléter sa phrase, d'y ajouter une idée nouvelle, de lui apprendre de nouveaux mots.

Utilisez la technique de l'écho pour corriger les mots ou les expressions incorrectes de l'enfant: rectifiez discrètement le mot ou la phrase en les reformulant correctement ou en glissant le bon mot. Ainsi, l'enfant ne se sentira pas mal à l'aise d'avoir exprimé quelque chose d'incorrect ou de confus; il sera plutôt content d'avoir été compris et sera encouragé à continuer de parler. N'oubliez pas que l'enfant apprend par imitation.

Si l'enfant présente un retard de langage, n'hésitez pas à faire appel, le plus tôt possible, aux services de l'orthophoniste. Ce professionnel du langage sera en mesure de fournir à l'enfant l'aide nécessaire pour lui permettre d'acquérir l'habileté verbale dont il aura besoin dans l'apprentissage des matières scolaires.

MATÉRIEL: miroir, poupée ou ourson, revues, lotos simples à base d'images, livres, livres d'histoires, catalogues.

ENFANT DE DEUX ANS OU PLUS

Les exercices qui suivent s'adressent aux enfants de deux ans ou plus. Il se peut toutefois que seuls les enfants de cinq ou six ans puissent réussir les plus difficiles.

EXERCICES

1. L'enfant se regarde dans le miroir et trouve tout ce qui l'aide à parler: langue, dents, lèvres, palais.

2. L'enfant fait des bruits en plaçant le bout de sa langue derrière les dents supérieures: bruit de la mitrailleuse (T... T... T...).

3. Les deux lèvres ensemble, l'enfant fait un bruit pour dire que le chocolat, c'est bon: M... M... M...

4. Le dos de la langue au palais, l'enfant imite le son de la poule: C... C... C...

5. Les dents supérieures sur la lèvre inférieure, l'enfant souffle sur la chandelle: F... F... F...; il imite le bruit du vent: V... V... V...

6. Les dents ensemble l'enfant coupe du bois: S... S... S...; il imite l'abeille: Z... Z... Z...; il demande le silence: CH... CH... CH...

7. Les lèvres en avant, l'enfant fait avancer le cheval: U... U... U...

8. L'enfant fait le bruit du petit moteur: R... R... R... Demandez-lui de placer ses doigts sur sa gorge afin de mieux sentir le bruit. Il endort sa poupée ou son ourson: A... A... A...; il imite le cri de la souris: I... I... I...; il dit que c'est beau: O... O... O...

9. En prenant différents mots, faites découvrir à l'enfant les sons imités préalablement. Par exemple, demandez-lui s'il entend vraiment le bruit du petit moteur (R... R... R...) dans le mot rat.

10. Posez des questions à l'enfant et invitez-le à vous répondre en s'exprimant à travers sa poupée ou son ourson. Lorsque l'enfant fait une erreur de langage, dites le mot correctement sans insister pour qu'il le répète.

11. Découpez plusieurs images dans les revues et apprenez à l'enfant le mot exact. Cela enrichira son vocabulaire. Il colle ensuite les images découpées et essaie de les nommer le plus rapidement possible.

12. Dressez une liste des mots que l'enfant a de la difficulté à dire. Prononcez-les souvent en articulant bien sans attirer son attention.

13. L'enfant nomme ses vêtements, les vêtements de ses parents, les vêtements d'hiver, d'été, de pluie.

14. Profitez de diverses situations pour demander à l'enfant ce qu'il voit, ce qu'il entend, ce qu'il sent.

15. L'enfant raconte une émission de télévision qu'il a regardée.

16. L'enfant regarde une image et essaie d'inventer une histoire.

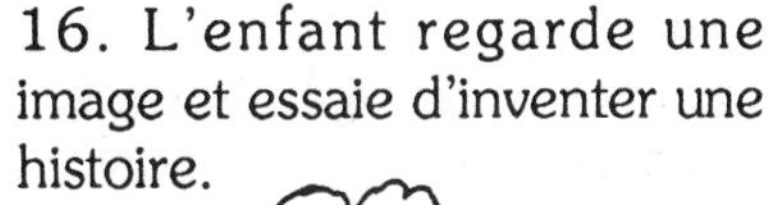

17. Découpez dans des catalogues des images représentant divers objets de la vie courante, des aliments dans les circulaires, des animaux que vous pouvez trouver dans les livres à colorier. L'enfant prend une image au hasard et la nomme en mentionnant qu'il l'achète et en disant pourquoi. Exemples:

- «Aujourd'hui, j'achète une fourchette pour manger.»
- «Aujourd'hui, j'achète un lit pour dormir.»
- «Aujourd'hui, j'achète un grille-pain pour faire griller mon pain.»

18. L'enfant choisit une image sans vous la montrer (utilisez les images de l'exercice précédent). Il la décrit et dit à quoi ça sert jusqu'à ce que vous deviniez l'objet. Lorsque l'enfant a de la difficulté, posez-lui des questions: à quoi ça sert? où peut-on le retrouver? quelle est sa forme? de quelle couleur c'est?, etc.

19. Montrez deux objets ou images à l'enfant et demandez-lui ce qu'ils ont de pareil ou de différent.
Exemple:
Une pomme et une banane: c'est pareil car les deux sont des fruits, ils sont bons pour la santé; c'est différent car la pomme est ronde et la banane est longue, elles ne sont pas de la même couleur.

20. Faire avec l'enfant le jeu «Je pars en voyage». Chacun son tour, nommez un objet que vous apportez et dites pourquoi.
Exemples:
«Je pars en voyage, j'apporte un ballon pour jouer.»
«Je pars en voyage, j'apporte un livre pour lire.»

21. Posez une question à l'enfant à laquelle il doit répondre sans jamais utiliser le mot oui ni le mot non. Chaque fois qu'il réussit, remettez-lui un bouton. Ensuite, l'enfant pose les questions et remet les boutons.

22. L'enfant prend une image (employez les images des jeux précédents) et doit vous convaincre d'utiliser l'objet qui y est illustré.

23. Jouez au jeu «Que met-on dans le sac?». L'enfant dit un mot qui rime avec celui que vous venez de prononcer. Chacun son tour fournit un mot. Changez de rime lorsque ça devient trop difficile pour l'enfant d'en trouver. Vous pouvez également faire le jeu avec des mots qui commencent par la même syllabe.
Exemples:
«Dans le sac, je mets un chapeau, un oiseau, un manteau...»
«Dans le sac, je mets un jardin, un matin, un cousin...»
«Dans le sac, je mets un caramel, un camion, un canard...»

24. Commencez à raconter une histoire et demandez à l'enfant d'inventer la suite. Lorsqu'il éprouve des difficultés, continuez en ajoutant une phrase ou deux et laissez poursuivre l'enfant.

25. Placez deux images espacées l'une de l'autre. L'enfant nomme la première et trouve une action pour la relier à la deuxième.
Exemple: chien/pantalon: Le chien déchire mon pantalon.

26. Découpez trois illustrations dans les revues. L'enfant invente une histoire en commençant par la première et poursuit avec la deuxième, puis avec la troisième.

27. L'enfant invente une fin à l'histoire que vous racontez.

28. Lisez à l'enfant le titre d'une histoire ou d'un conte et demandez-lui de raconter ce qui, selon lui, se passera dans ce livre.

29. Profitez des balades en voiture pour faire exprimer l'enfant oralement. Demandez-lui ce qu'il voit, ce qu'il ferait s'il était un arbre, un chat, un oiseau, où il aimerait vivre, etc.

Chapitre XV

EXPRESSION GRAPHIQUE

Apprendre à former des lettres et des chiffres n'est pas une tâche facile pour l'enfant. Pourtant, dès son entrée à l'école, il doit entreprendre cet apprentissage. On ne saurait donc demander à l'enfant d'écrire entre deux lignes rapprochées sans avoir fait au préalable certains exercices qui le mèneront à l'acte d'écrire.

Dans le chapitre sur la motricité fine, l'enfant est invité à faire des activités qui ont pour but d'assouplir et de coordonner les mouvements de ses doigts. Dans le présent chapitre, on l'amène à faire des exercices graphiques (boucles, courbes, droites, obliques, etc.) qui sont à l'origine des lettres.

On peut donner le goût à l'enfant d'écrire dès l'âge de deux ans en lui fournissant du matériel attrayant et adéquat (papier varié, crayons et craies de différents formats, peinture aux doigts*, etc.). Épinglez au mur de larges feuilles, de grands cartons ou du papier journal qui permettront d'abord au jeune enfant de gribouiller à sa guise. Il est préférable qu'il peigne, dessine ou écrive sur une surface verticale et de grandes feuilles au début. Au fur et à mesure qu'il contrôle les mouvements, on diminue progressivement le format des feuilles et des crayons et on le fait travailler à l'horizontale. Un babillard sur le mur de

---

* Vous pouvez préparer à domicile la peinture aux doigts en mélangeant 250 mL d'empois, 250 mL d'eau, 750 mL de poudre de savon et du colorant alimentaire.

sa chambre est d'une grande utilité pour afficher ses réussites, ses dessins, les étiquettes représentant son prénom et ceux de sa famille et de ses amis, etc.

Amenez d'abord l'enfant à faire dans l'espace, avec sa main dominante, les différents tracés ou lettres proposés afin qu'il sente le mouvement. Ensuite, faites-lui reproduire ces éléments au mur, et enfin sur la table. Les lignes et les courbes se forment toujours dans le même sens, direction à suivre dans la formation des lettres. On trace les droites de haut en bas et les courbes en commençant par le haut et en tournant par la gauche vers la droite. (Veillez à ce que l'enfant tienne bien son crayon.) Si l'enfant désire aller plus loin et commencer à former des lettres, suivez le modèle proposé ci-dessous.

Minuscules

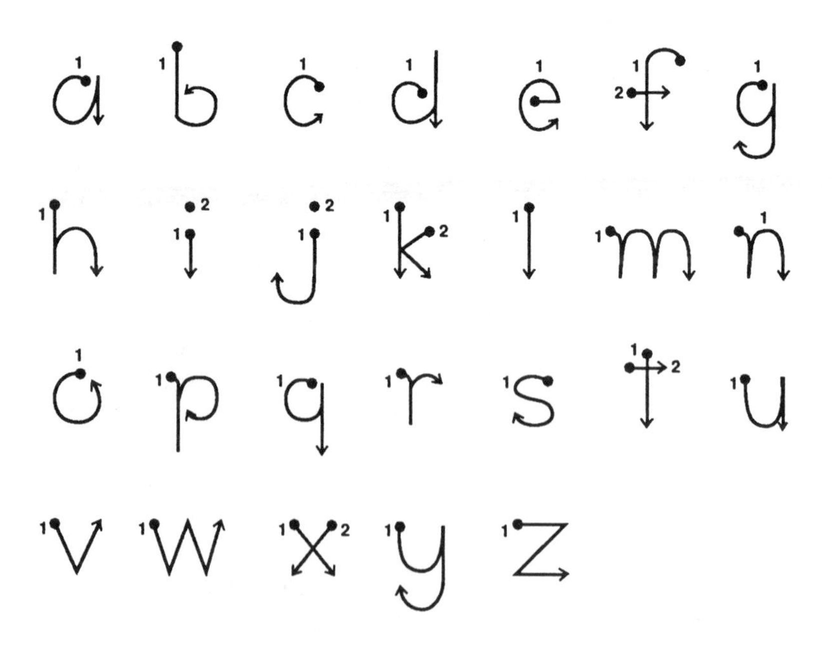

Majuscules

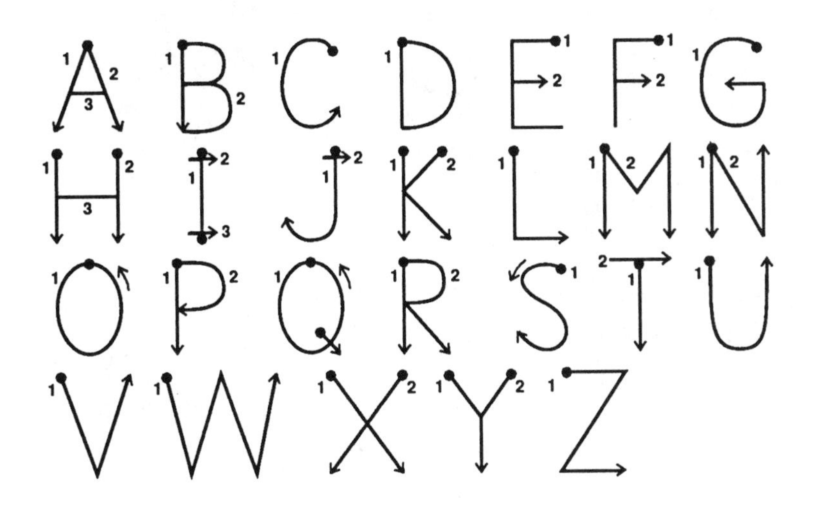

MATÉRIEL: crayons de cire, feuilles à dessin.

ENFANT DE DEUX ANS OU PLUS

Les exercices qui suivent s'adressent aux enfants de deux ans ou plus. Il se peut toutefois que seuls les enfants de cinq ou six ans puissent réussir les plus difficiles.

EXERCICES

1. L'enfant dessine sur une grande feuille la laine qui s'est emmêlée.

2. L'enfant trace des chemins sur sa feuille.

3. Dessinez des fleurs. Invitez l'enfant à illustrer le trajet de l'abeille qui tourne autour sans s'arrêter pour butiner.

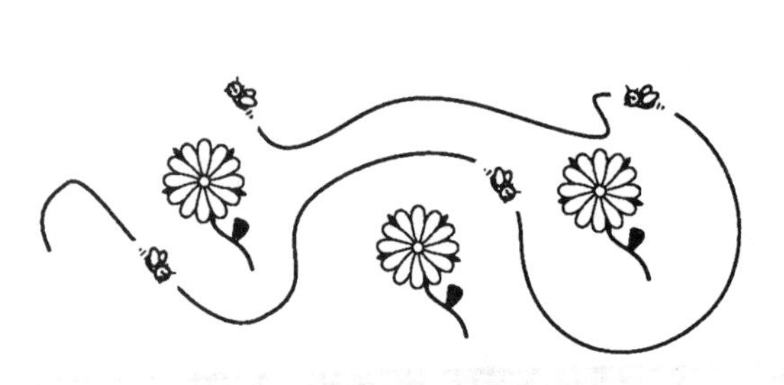

4. L'enfant colle des morceaux de papier sur une feuille et les relie. Il trace le chemin avec son doigt d'abord, puis avec son crayon.

5. Dessinez des cerfs-volants et demandez à l'enfant d'y ajouter des cordes.

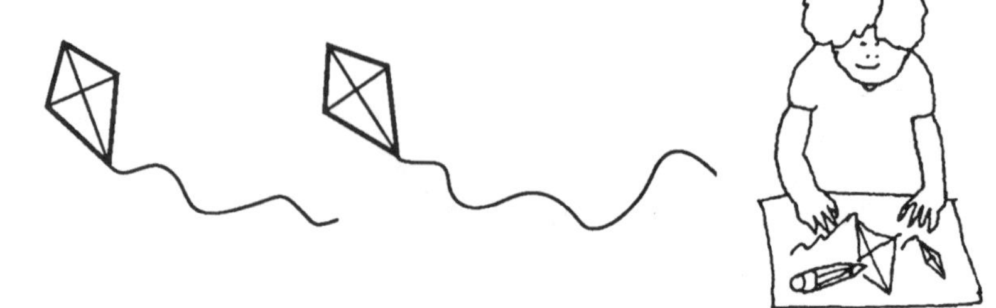

6. L'enfant tient un objet dans une main tandis que l'autre gribouille sur la feuille.

7. Dessinez des maisons. L'enfant trace le chemin qui conduit à chacune d'elles et fait de la fumée aux cheminées.

8. L'enfant dessine une grande allumette, une moyenne, une petite; un gros sou, un moyen, un petit.

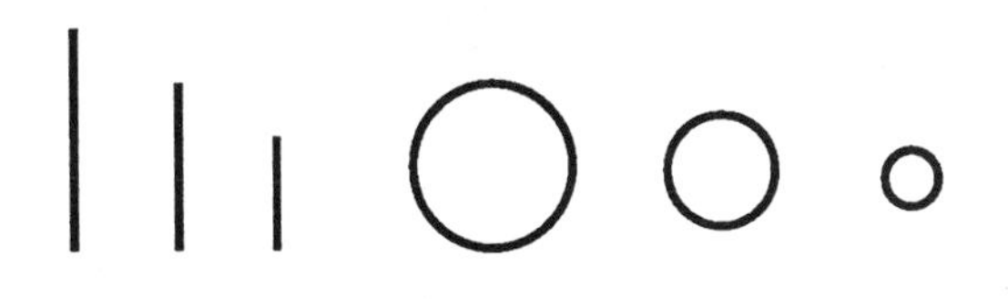

9. L'enfant trace le contour de sa main posée sur une feuille.

10. L'enfant dessine sur une grande feuille, des boucles en rotation. Il en fait des grandes, des petites, une grande suivie d'une petite, etc.

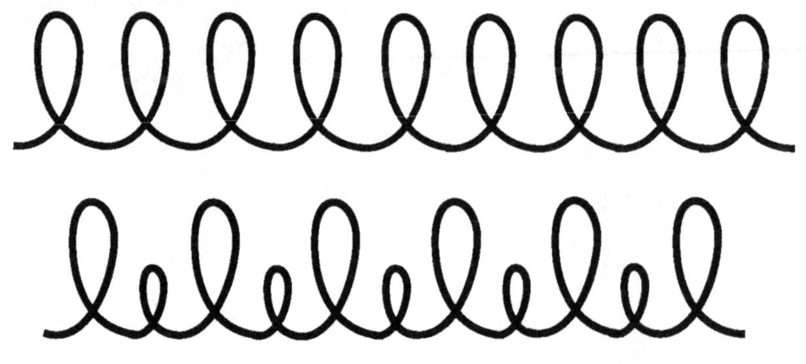

11. En partant du bas de la feuille, l'enfant trace un chemin selon les indications que vous lui donnez.
Exemple: monte, tourne à droite, monte, tourne à gauche, descend, tourne à gauche, etc.

12. L'enfant dessine:

a) une route;

b) les vagues de la mer;

c) la pluie;

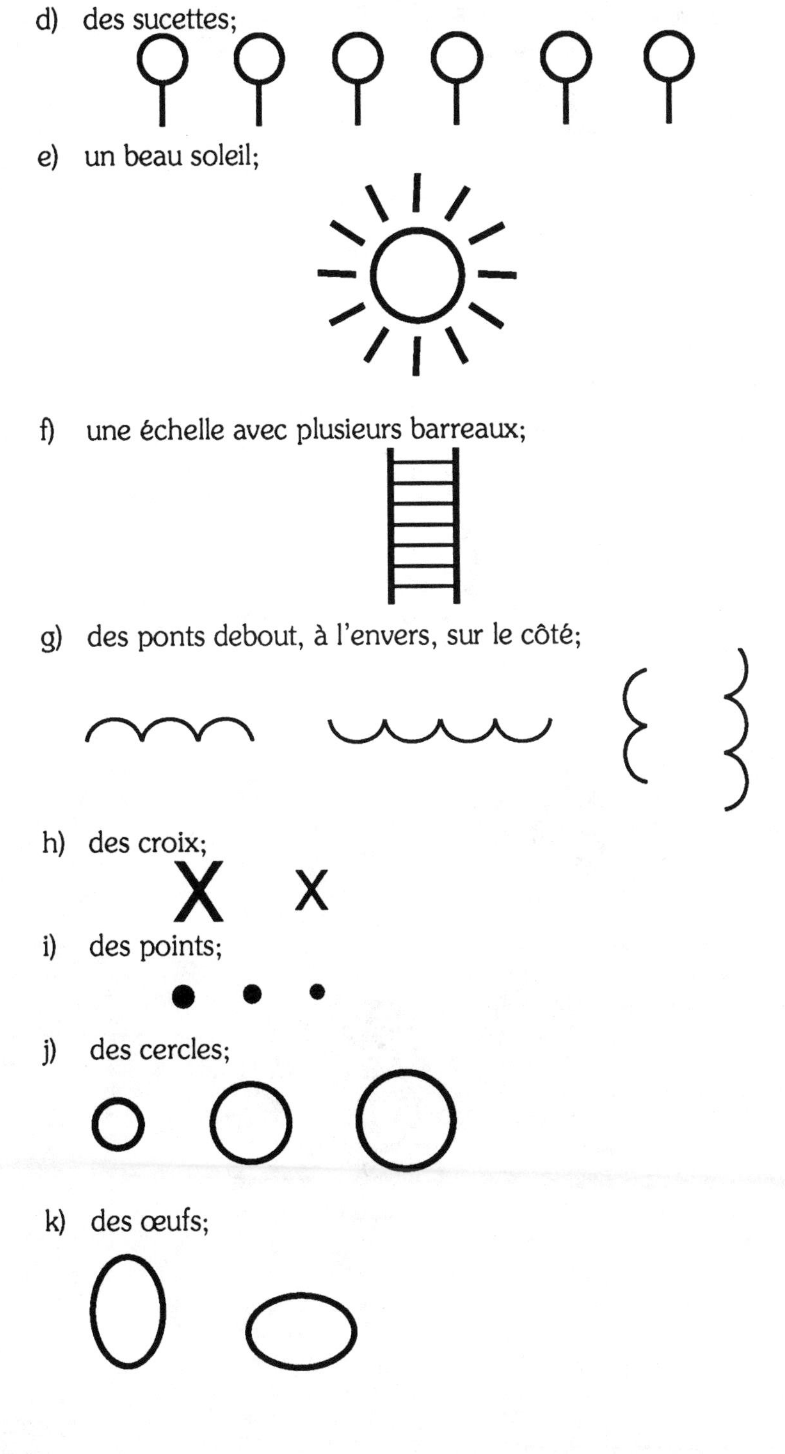

d) des sucettes;

e) un beau soleil;

f) une échelle avec plusieurs barreaux;

g) des ponts debout, à l'envers, sur le côté;

h) des croix;

i) des points;

j) des cercles;

k) des œufs;

l) un escalier.

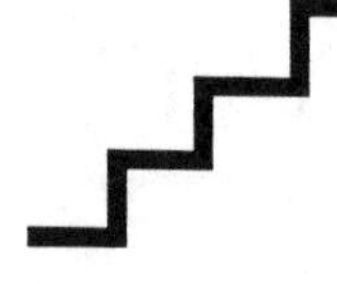

13. L'enfant dessine:

a) des colliers;

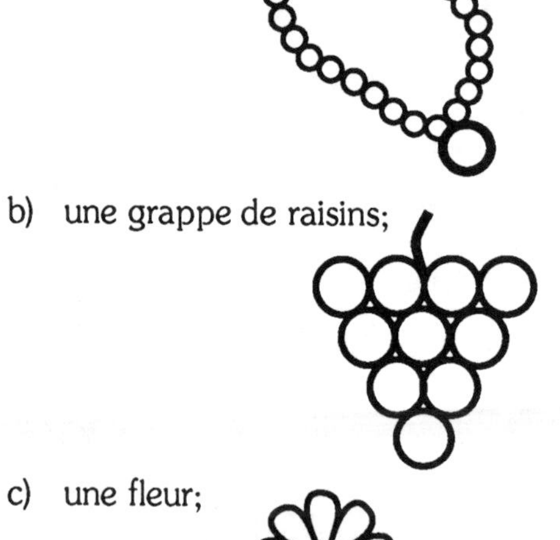

b) une grappe de raisins;

c) une fleur;

d) un bonhomme de neige.

14. Tracez des lignes horizontales espacées de cinq centimètres et demandez à l'enfant de faire les tracés ci-dessous. Au fur et à mesure que l'enfant devient plus habile, reprenez les exercices en réduisant l'espace entre les lignes. (N'oubliez pas, les cercles se forment de gauche à droite et les droites, de haut en bas.) Demandez toujours à l'enfant de passer sur les tracés avec son doigt pour commencer; ensuite, il reproduit les modèles avec de la plasticine, puis, en dernier lieu, il les écrit avec son crayon.

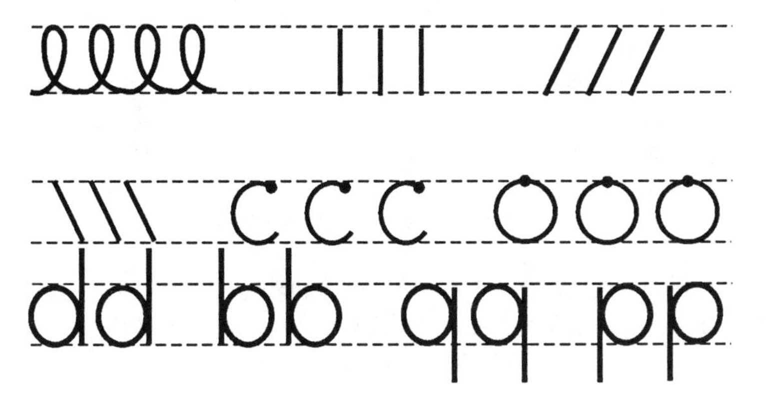

15. Reproduisez les modèles ci-dessous sur une feuille quadrillée et demandez à l'enfant de continuer les motifs.

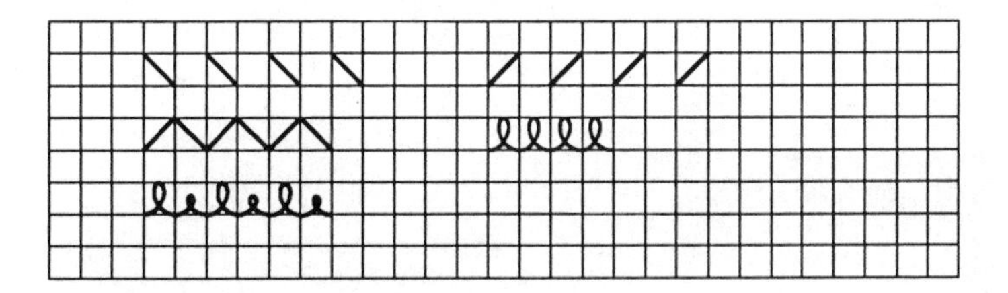

16. Afin de permettre à l'enfant d'expérimenter l'orientation de la lecture et de l'écriture, demandez-lui de suivre avec son doigt en faisant semblant de lire les lignes dans ses livres d'histoires. Il comprend alors qu'on lit et qu'on écrit en commençant en haut et de gauche à droite.

17. Écrivez le nom de l'enfant en vous inspirant du modèle de lettres fourni en début de chapitre. N'oubliez pas, on forme la première lettre de son nom avec une majuscule et les autres en minuscules. (Les majuscules prennent l'accent.)
Demandez-lui de:
a) passer sur les formes ou les lettres avec l'index de sa main dominante;
b) faire des serpents avec de la plasticine et les placer sur les formes ou les lettres de son nom;
c) reproduire les formes ou les lettres en dessous avec la plasticine;
d) passer par-dessus les formes ou les lettres avec son crayon;
e) écrire son nom sur une feuille en regardant le modèle;
f) reproduire son nom sans regarder le modèle;
g) reproduire son nom avec le modèle sur une feuille interlignée (écrire dans le trottoir);
h) écrire son nom sans modèle sur une feuille interlignée.

BIBLIOGRAPHIE

Ajuriaguerra (de), J., Auzias, M., Denner, M., *L'écriture et l'enfant*, Delachaux et Nieslé, 1964.

Bauh, D., *Espace, temps, langage, orthographe*, Éd. Sociales Françaises.

Bergès, J. et Lézine, I., *Test d'imitation de gestes*, Paris, Masson & Cie, 1972.

Bergeron, M., Bouliane, L., Cronk, C., *Communiquer avec un enfant au cours de ses cinq premières années*, Ministère de la santé et des Services sociaux Québec, 1985.

Bucher, H., *Exercices d'analyse perceptive et d'orientation spatiale*, L 106, Paris, Nathan.

Bucher, H., *Troubles psychomoteurs chez l'enfant*, Paris, Masson & Cie, 1972.

De Maistre, Marie, *Dyslexie, dysorthographie*, Éd. Universitaire.

De Meur, A. et Navet, Ph., *Méthode pratique de rééducation de la lecture et de l'orthographe*, Bruxelle, A. De Boeck, 3e éd., 1979.

Dubosson, J., *Exercices perceptifs et sensori-moteurs*, 4e éd., Delachaux et Nieslé, Paris, 1968.

Frosting Visual Perception Program, Chicago, Follet Publishing Company, 1964.

Gesell, A. et Ilg, F. L., *Le jeune enfant dans la civilisation moderne*, Paris, Presses Universitaires de France, 10e éd., 1978.

Girolami-Boulinier, *Le guide des premiers pas scolaires*, Delachaux et Nieslé.

Guilmain, E. et G., *L'activité psychomotrice de l'enfant*, Issy-les-Moulineaux, Éditions Scientifiques, 1978.

Inizan, A., *Le temps d'apprendre à lire*, 5e éd., Paris, Colin-Bourrelier, 1968.

Langevin, Claude, *Le langage de votre enfant: comment l'éduquer, le développer*, Montréal, Éditions de l'Homme, 1970.

Laval, M.-J., *Guide — Expression — Mouvement*, Les éditions Le Sablier inc.

Le Boulch, J., *Vers une science du mouvement humain*, Paris, E.S.F., 1972.

Ott, E., *Éveillez l'intelligence de votre enfant*, Tournai, Casterman, 1974.

Piaget, J., Inhelder, B., *La représentation de l'espace chez l'enfant*, Paris, PUF, 1962.

Picq, L. et Vayer, P., *Éducation psychomotrice et arriération mentale*, Paris, Éditions Doin, 1968.

Stambak, M., *Tonus et psychomotricité*, Delachaux et Nieslé, Neuchatel, 1963.

Stern, Arno, *Une grammaire de l'art enfantin*, Paris, Delachaux et Nieslé, 1966.

Tasset, J.-M., *Notions théoriques et pratiques de psychomotricité*, Québec, Le Sablier, 1972.

Vayer, P., *Introduction à l'éducation psychomotrice*, L'Homme Sain, 1970.

Vincent, R. et Odette, *J'apprends en m'amusant*, tomes 1 à 9, coll. Lidec.

Wallon, H., *Les origines de la pensée chez l'enfant*, Paris, P.U.F., 4e éd., 1975.

TABLE DES MATIÈRES

Ouvrages parus aux Éditions de l'Homme

Affaires et vie pratique

***30 jours pour mieux organiser...**, Gary Holland
***Acheter et vendre sa maison ou son condominium**, Lucille Brisebois
***Acheter une franchise**, Pierre Levasseur
***Les assemblées délibérantes**, Francine Girard
***La bourse**, Mark C. Brown
***Le chasse-insectes dans la maison**, Odile Michaud
***Le chasse-insectes pour jardins**, Odile Michaud
Le chasse-taches, Jack Cassimatis
***Choix de carrières — Après le collégial professionnel**, Guy Milot
***Choix de carrières — Après le secondaire V**, Guy Milot
***Choix de carrières — Après l'université**, Guy Milot
***Comment cultiver un jardin potager**, Jean-Claude Trait
Comment rédiger son curriculum vitæ, Julie Brazeau
***Comprendre le marketing**, Pierre Levasseur
Des pierres à faire rêver, Lucie Larose
***Devenir exportateur**, Pierre Levasseur
***L'entretien de votre maison**, Consumer Reports Books
L'étiquette des affaires, Elena Jankovic
***Faire son testament soi-même**, Me Gérald Poirier et Martine Nadeau Lescault
Les finances, Laurie H. Hutzler
Gérer ses ressources humaines, Pierre Levasseur
Le gestionnaire, Marian Colwell
La graphologie, Claude Santoy
***Le guide complet du jardinage**, Charles L. Wilson
***Le guide de l'auto 92**, Denis Duquet et Marc Lachapelle
***Le guide des bars de Montréal**, Lili Gulliver
***Le guide des bons restaurants de Montréal et d'ailleurs**, Josée Blanchette
Guide du savoir-écrire, Jean-Paul Simard
***Le guide du vin 92**, Michel Phaneuf
***Le guide floral du Québec**, Florian Bernard
Guide pratique des vins de France, Jacques Orhon
J'aime les azalées, Josée Deschênes
***J'aime les bulbes d'été**, Sylvie Regimbal
J'aime les cactées, Claude Lamarche
***J'aime les conifères**, Jacques Lafrenière
***J'aime les petits fruits rouges**, Victor Berti
J'aime les rosiers, René Pronovost
J'aime les tomates, Victor Berti
J'aime les violettes africaines, Robert Davidson
J'apprends l'anglais..., Gino Silicani et Jeanne Grisé-Allard
Le jardin d'herbes, John Prenis
***Je me débrouille en aménagement intérieur**, Daniel Bouillon et Claude Boisvert
***Lancer son entreprise**, Pierre Levasseur
Le leadership, James J. Cribbin
Le livre de l'étiquette, Marguerite du Coffre
***La loi et vos droits**, Me Paul-Émile Marchand

Le meeting, Gary Holland
Le mémo, Cheryl Reimold
Mieux comprendre sa vie de travail, Claude Poirier et Nicole Gravel
* **Mon automobile,** Gouvernement du Québec et Collège Marie-Victorin
Notre mariage — Étiquette et planification, Marguerite du Coffre
Nouveaux profils de carrière, Claire Landry
L'orthographe en un clin d'œil, Jacques Laurin
* **Ouvrir et gérer un commerce de détail,** C. D. Roberge et A. Charbonneau
Le patron, Cheryl Reimold
* **Piscines, barbecues et patios,** Collectif
* **La prévention du crime,** Collectif
* **Prévoir les belles années de la retraite,** Michael Gordon
Les relations publiques, Richard Doin et Daniel Lamarre
Les secrets des maîtres vendeurs, Henry Porter
La taxidermie moderne, Jean Labrie
* **Les techniques de jardinage,** Paul Pouliot
Techniques de vente par téléphone, James D. Porterfield
* **Le temps des purs — Les nouvelles valeurs de l'entreprise,** David Olive
* **Tests d'aptitude pour mieux choisir sa carrière,** Linda et Barry Gale
* **Tout ce que vous devez savoir sur le condominium,** Robert Dubois
Une carrière sur mesure, Denise Lemyre-Desautels
L'univers de l'astronomie, Robert Tocquet
La vente, Tom Hopkins

Affaires publiques, vie culturelle, histoire

* **Artisanat québécois, tome 4,** Cyril Simard et Jean-Louis Bouchard
* **La baie d'Hudson,** Peter C. Newman
Beautés sauvages du Canada, Collectif
Bourassa, Michel Vastel
Les cathédrales de la mer, Marie-Josée Ouellet
* **Le cauchemar olympique ou l'envers de la médaille,** Sylvain Lake
Claude Léveillée, Daniel Guérard
* **Les conquérants des grands espaces,** Peter C. Newman
* **Dans la tempête — Le cardinal Léger et la révolution tranquille,** Micheline Lachance
La découverte de l'Amérique, Timothy Jacobson
* **Duplessis, tome 1 — L'ascension,** Conrad Black
* **Duplessis, tome 2 — Le pouvoir,** Conrad Black
* **Les écoles de rang au Québec,** Jacques Dorion
* **L'establishment canadien,** Peter C. Newman
* **Le frère André,** Micheline Lachance
La généalogie, Marthe F. Beauregard et Ève B. Malak
Gilles Villeneuve, Gerald Donaldson
Gretzky — Mon histoire, Wayne Gretzky et Rick Reilly
Les insolences du frère Untel, Jean-Paul Desbiens
Larry Robinson, Larry Robinson et Chrystian Goyens
* **Les mots de la faim et de la soif,** Hélène Matteau
* **Notre Clémence,** Hélène Pedneault
* **Les nouveaux riches, tome 2 — L'establishment canadien,** Peter C. Newman
* **Option Québec,** René Lévesque
L'or des cavaliers thraces, Collectif
* **Oui,** René Lévesque
Parce que je crois aux enfants, Andrée Ruffo
* **Les patients du docteur Cameron,** Anne Collins
Plamondon — Un cœur de rockeur, Jacques Godbout

Le prince de l'église, Micheline Lachance
Les princes marchands, Peter C. Newman
* **Provigo,** René Provost et Maurice Chartrand
Québec ville du patrimoine mondial, Michel Lessard
* **La saga des Molson,** Shirley E. Woods
Sauvez votre planète!, Marjorie Lamb
* **La sculpture ancienne au Québec,** John R. Porter et Jean Bélisle
* **Sous les arches de McDonald's,** John F. Love
* **Le temps des fêtes au Québec,** Raymond Montpetit
Trudeau le Québécois, Michel Vastel

Cuisine et nutrition

100 recettes de pain faciles à réaliser, Angéline Saint-Pierre
* **À table avec sœur Angèle,** Sœur Angèle
Les aliments qui guérissent, Jean Carper
Le barbecue, Patrice Dard
Bonne table et bon cœur, Anne Lindsay
Brunches et petits déjeuners en fête, Yolande Bergeron
Cocktails de fruits non alcoolisés, Lorraine Whiteside
Combler ses besoins en calcium, Denyse Hunter
* **Comme chez grand-maman Biondi,** J. Biondi et C. Lanzillotta
Comment nourrir son enfant, Louise Lambert-Lagacé
Le compte-calories, Micheline Brault-Dubuc et Liliane Caron-Lahaie
Le compte-cholestérol, M. Brault-Dubuc et L. Caron-Lahaie
* **Les confitures,** Misette Godard
La congélation de A à Z, Joan Hood
Les conserves, Sœur Berthe
* **Crème glacée et sorbets,** Yves Lebuis et Gilbert Pauzé
La cuisine au wok, Charmaine Solomon
Cuisine aux micro-ondes 1 et 2 portions, Marie-Paul Marchand
* **La cuisine chinoise traditionnelle,** Jean Chen
* **La cuisine créative Campbell,** Campbell
* **La cuisine joyeuse de sœur Angèle,** Sœur Angèle
Cuisiner avec le four à convection, Jehane Benoit
* **Cuisiner avec les champignons sauvages du Québec,** Claire L. Leclerc
* **Cuisine santé pour les aînés,** Denyse Hunter
Le défi alimentaire de la femme, Louise Lambert-Lagacé
* **La diète rotation,** Dr Martin Katahn
Faire son pain soi-même, Janice Murray Gill
* **Faire son vin soi-même,** André Beaucage
La fine cuisine aux micro-ondes, Patrice Dard
* **Gastronomie minute,** Julien Letellier
* **Le livre du café,** Julien Letellier
* **Menus et recettes du défi alimentaire de la femme,** Louise Lambert-Lagacé
* **Les menus minute Weight Watchers,** Weight Watchers
Menus pour recevoir, Julien Letellier
Micro-ondes plus, Marie-Paul Marchand
* **Modifiez vos recettes traditionnelles,** Denyse Hunter
Les muffins, Angela Clubb
La nouvelle cuisine micro-ondes, Marie-Paul Marchand et Nicole Grenier
La nouvelle cuisine micro-ondes II, Marie-Paul Marchand et Nicole Grenier
* **Les pâtes,** Julien Letellier
* **La pâtisserie,** Maurice-Marie Bellot
La sage bouffe de 2 à 6 ans, Louise Lambert-Lagacé

Les tisanes qui font merveille, Dr Leonhard Hochenegg et Anita Höhne
* **Toutes les meilleures pizzas,** Joie Warner
* **Toutes les meilleures salades et vinaigrettes,** Joie Warner
* **Toutes les meilleures sauces pour les pâtes,** Joie Warner
Une cuisine sage, Louise Lambert-Lagacé
* **Votre régime contre la colite,** Joan Lay
* **Votre régime contre la cystite,** Ralph McCutcheon
* **Votre régime contre l'arthrite,** Helen MacFarlane
* **Votre régime contre la sclérose en plaque,** Rita Greer
* **Votre régime contre le diabète,** Martin Budd
* **Votre régime contre le psoriasis,** Harry Clements
* **Votre régime pour contrôler le cholestérol,** R. Newman Turner
* **Weight Watchers — La cuisine légère,** Weight Watchers
* **Les yogourts glacés,** Mable et Gar Hoffman

Plein air, sports, loisirs

100 trucs de billard, Pierre Morin
* **52 Week-ends au Québec,** André Bergeron
* **L'ABC du bridge,** Frank Stewart et Randall Baron
Apprenez à patiner, Gaston Marcotte
L'arc et la chasse, Greg Guardo
Les armes de chasse, Charles Petit-Martinon
L'art du pliage du papier, Robert Harbin
La batterie sans professeur, James Blades et Johnny Dean
* **La bicyclette,** Jean Corbeil
Carte et boussole, Björn Kjellström
Le chant sans professeur, Graham Hewitt
Le clavier électronique sans professeur, Roger Evans
* **Les clés du scrabble,** Pierre-André Sigal et Michel Raineri
* **Comment vivre dans la nature,** Bill Rivière et l'équipe de L. L. Bean
Le conditionnement physique, Richard Chevalier, Serge Laferrière et Yves Bergeron
* **Construire des cabanes d'oiseaux,** André Dion
Corrigez vos défauts au golf, Yves Bergeron
Culture hydroponique, Richard E. Nicholls
* **Le curling,** Ed Lukowich
De la hanche aux doigts de pieds — Guide santé pour l'athlète, M. J. Schneider et M. D. Sussman
Devenir gardien de but au hockey, François Allaire
Le dictionnaire des bruits, Jean-Claude Trait et Yvon Dulude
* **Les éphémères du pêcheur québécois,** Yvon Dulude
* **Exceller au baseball,** Dick Walker
* **Exceller au football,** James Allen
* **Exceller au softball,** Dick Walker
* **Exceller au tennis,** Charles Bracken
* **Exceller en natation,** Gene Dabney
La flûte traversière sans professeur, Howard Harrison
Le golf au féminin, Yves Bergeron et André Maltais
Grandir en 100 exercices, Henri B. Zimmer
Le grand livre des sports, Le groupe Diagram
Le guide complet du judo, Louis Arpin
* **Le guide de la chasse,** Jean Pagé
Le guide de l'alpinisme, Massimo Cappon
* **Le guide de la pêche au Québec,** Jean Pagé
* **Le guide des auberges et relais de campagne du Québec,** François Trépanier

Guide des destinations soleil, André Bergeron
Guide des jeux scouts, Association des Scouts du Canada
Le guide de survie de l'armée américaine, Collectif
* **Guide de survie en forêt canadienne,** Jean-Georges Desheneaux
La guitare, Peter Collins
La guitare électrique sans professeur, Robert Rioux
La guitare sans professeur, Roger Evans
* **J'apprends à dessiner,** Joanna Nash
* **J'apprends à nager,** Régent la Coursière
* **Je me débrouille à la chasse,** Gilles Richard
* **Je me débrouille à la pêche,** Serge Vincent
Jeux pour rire et s'amuser en société, Claudette Contant
* **Jouez gagnant au golf,** Luc Brien et Jacques Barrette
Jouons au scrabble, Philippe Guérin
Le karaté Koshiki, Collectif
Le karaté Kyokushin, André Gilbert
Le livre des patiences, Maria Bezanovska et Paul Kitchevats
* **Maîtriser son doigté sur un clavier,** Jean-Paul Lemire
Manuel de pilotage, Transport Canada
Le manuel du monteur de mouches, Mike Dawes
Le marathon pour tous, Pierre Anctil, Daniel Bégin et Patrick Montuoro
La médecine sportive, Dr Gabe Mirkin et Marshall Hoffman
La musculation pour tous, Serge Laferrière
* **La nature en hiver,** Donald W. Stokes
* **Les papillons du Québec,** Christian Veilleux et Bernard Prévost
* **Partons en camping!,** Archie Satterfield et Eddie Bauer
Partons sac au dos, Archie Satterfield et Eddie Bauer
Les passes au hockey, Claude Chapleau, Pierre Frigon et Gaston Marcotte
* **Photos voyage,** Louis-Philippe Coiteux et Michel Frenette
Le piano jazz sans professeur, Bob Kail
Le piano sans professeur, Roger Evans
La planche à voile, Gérald Maillefer
La plongée sous-marine, Richard Charron
Le programme 5BX, pour être en forme,
* **Racquetball,** Jean Corbeil
* **Racquetball plus,** Jean Corbeil
Les règles du golf, Yves Bergeron
* **Rivières et lacs canotables du Québec,** Fédération québécoise du canot-camping
S'améliorer au tennis, Richard Chevalier
Le saumon, Jean-Paul Dubé
* **Le scrabble,** Daniel Gallez
Les secrets du baseball, Jacques Doucet et Claude Raymond
Le solfège sans professeur, Roger Evans
La technique du ski alpin, Stu Campbell et Max Lundberg
Techniques du billard, Robert Pouliot
Le tennis, Denis Roch
* **Le tissage,** Germaine Galerneau et Jeanne Grisé-Allard
Tous les secrets du golf selon Arnold Palmer, Arnold Palmer
La trompette sans professeur, Digby Fairweather
Le violon sans professeur, Max Jaffa
* **Le vitrail,** Claude Bettinger
Voir plus clair aux échecs, Henri Tranquille et Louis Morin
Le volley-ball, Fédération de volley-ball

Psychologie, vie affective, vie professionnelle, sexualité

* **30 jours pour redevenir un couple heureux,** Patricia K. Nida et Kevin Cooney
* **30 jours pour un plus grand épanouissement sexuel,** Alan Schneider et Deidre Laiken
* **Adieu Québec,** André Bureau
À dix kilos du bonheur, Danielle Bourque
Aider mon patron à m'aider, Eugène Houde
* **Aider son enfant en maternelle et en première année,** Louise Pedneault-Pontbriand
À la découverte de mon corps — Guide pour les adolescentes, Lynda Madaras
À la découverte de mon corps — Guide pour les adolescents, Lynda Madaras
L'amour comme solution, Susan Jeffers
L'amour, de l'exigence à la préférence, Lucien Auger
Les années clés de mon enfant, Frank et Theresa Caplan
Apprivoiser l'ennemi intérieur, Dr George R. Bach et Laura Torbet
L'approche émotivo-rationnelle, Albert Ellis et Robert A. Harper
L'art d'aider, Robert R. Carkhuff
L'art de l'allaitement maternel, Ligue internationale La Leche
L'art de parler en public, Ed Woblmuth
L'art d'être parents, Dr Benjamin Spock
L'autodéveloppement, Jean Garneau et Michelle Larivey
Avoir un enfant après 35 ans, Isabelle Robert
Bientôt maman, Janet Whalley, Penny Simkin et Ann Keppler
* **Le bonheur au travail,** Alan Carson et Robert Dunlop
Le bonheur possible, Robert Blondin
Ces hommes qui méprisent les femmes... et les femmes qui les aiment, Dr Susan Forward et Joan Torres
Ces hommes qui ne peuvent être fidèles, Carol Botwin
Ces visages qui en disent long, Jeanne-Élise Alazard
Changer ensemble — Les étapes du couple, Susan M. Campbell
Chère solitude, Jeffrey Kottler
Le cœur en écharpe, Stephen Gullo et Connie Church
Comment communiquer avec votre adolescent, E. Weinhaus et K. Friedman
Comment déborder d'énergie, Jean-Paul Simard
Comment garder son homme, Alexandra Penney
La communication... c'est tout!, Henri Bergeron
Le complexe de Casanova, Peter Trachtenberg
Comprendre et interpréter vos rêves, Michel Devivier et Corinne Léonard
Découvrez votre quotient intellectuel, Victor Serebriakoff
Découvrir un sens à sa vie avec la logothérapie, Viktor E. Frankl
Le défi de vieillir, Hubert de Ravinel
La deuxième année de mon enfant, Frank et Theresa Caplan
* **Dieu ne joue pas aux dés,** Henri Laborit
Les douze premiers mois de mon enfant, Frank Caplan
Les écarts de conduite, Dr John Pearce
En attendant notre enfant, Yvette Pratte Marchessault
Les enfants de l'autre, Erna Paris
* **L'enfant unique — Enfant équilibré, parents heureux,** Ellen Peck
L'esprit du grenier, Henri Laborit
* **L'étonnant nouveau-né,** Marshall H. Klaus et Phyllis H. Klaus
Être soi-même, Dorothy Corkille Briggs
Évoluer avec ses enfants, Pierre-Paul Gagné
Exercices aquatiques pour les futures mamans, Joanne Dussault et Claudia Demers
La femme indispensable, Ellen Sue Stern
Finies les phobies!, Dr Manuel D. Zane et Harry Milt
La flexibilité — Savoir changer, c'est réussir, P. Donovan et J. Wonder

La force intérieure, J. Ensign Addington
Le grand manuel des arts divinatoires, Sasha Fenton
* **Le grand manuel des cristaux,** Ursula Markham
Les grands virages — Comment tirer parti de tous les imprévus de la vie, R. H. Lauer et J. C. Lauer
La graphologie au service de votre vie intime et professionnelle, Claude Santoy
Guérir des autres, Albert Glaude
Le guide du succès, Tom Hopkins
L'histoire merveilleuse de la naissance, Jocelyne Robert
L'horoscope chinois 1992, Neil Somerville
L'infidélité, Wendy Leigh
L'intuition, Philip Goldberg
J'aime, Yves Saint-Arnaud
J'ai quelque chose à vous dire..., B. Fairchild et N. Hayward
J'ai rendez-vous avec moi, Micheline Lacasse
Le journal intime intensif, Ira Progoff
Lis cette page, s'il te plaît, N. Chesanow et G. L. Ersersky
Le mal des mots, Denise Thériault
Ma sexualité de 0 à 6 ans, Jocelyne Robert
Ma sexualité de 6 à 9 ans, Jocelyne Robert
Ma sexualité de 9 à 12 ans, Jocelyne Robert
La méditation transcendantale, Jack Forem
Le mensonge amoureux, Robert Blondin
Mon enfant naîtra-t-il en bonne santé?, Jonathan Scher et Carol Dix
Nous, on en parle, Marcelle Lamarche et Pol Danheux
Parle-moi... j'ai des choses à te dire, Jacques Salomé
Parlez-leur d'amour, Jocelyne Robert
Parlez pour qu'on vous écoute, Michèle Brien
Penser heureux — La conquête du bonheur, image par image, Lucien Auger
Perdant gagnant! — Réussissez vos échecs, Carole Hyatt et Linda Gottlieb
Père manquant, fils manqué, Guy Corneau
Les peurs infantiles, Dr John Pearce
* **Les plaisirs du stress,** Dr Peter G. Hanson
Pourquoi l'autre et pas moi? — Le droit à la jalousie, Dr Louise Auger
* **Pour vous future maman,** Trude Sekely
Préparez votre enfant à l'école, Louise Doyon-Richard
Prévenir et surmonter la déprime, Lucien Auger
Le principe de Peter, L. J. Peter et R. Hull
Psychologie de l'amour romantique, Dr Nathaniel Branden
Psychologie de l'enfant de 0 à 10 ans, Françoise Cholette-Pérusse
* **La puberté,** Angela Hines
La puissance de la vie positive, Norman Vincent Peale
La puissance de l'intention, Richard J. Leider
La question qui sauvera mon mariage, Harry P. Dunne
Respirations et positions d'accouchement, Joanne Dussault
S'affirmer et communiquer, Jean-Marie Boisvert et Madeleine Beaudry
S'aider soi-même davantage, Lucien Auger
Se changer, Michael J. Mahoney
Se comprendre soi-même par des tests, Collaboration
Se connaître soi-même, Gérard Artaud
Secrets d'alcôve, Iris et Steven Finz
Se guérir de la sottise, Lucien Auger
S'entraider, Jacques Limoges
* **La séparation du couple,** Robert S. Weiss
La sexualité du jeune adolescent, Dr Lionel Gendron
Si je m'écoutais je m'entendrais, Jacques Salomé et Sylvie Galland

Si seulement je pouvais changer!, Patrick Lynes
Les soins de la première année de bébé, Paula Kelly
Stress et succès, Peter G. Hanson
Superlady du sexe, Susan C. Bakos
Le syndrome de la fatigue chronique, Edmund Blair Bolles
Le syndrome de la corde au cou, Sonya Rhodes et Marlin S. Potash
La tendresse, Nobert Wölfl
Tout se joue avant la maternelle, Masaru Ibuka
Transformer ses faiblesses en forces, Dr Harold Bloomfield
Travailler devant un écran, Dr Helen Feeley
* **Un second souffle**, Diane Hébert
* **La vie antérieure**, Henri Laborit
Vouloir c'est pouvoir, Raymond Hull

Santé, beauté

30 jours pour avoir de beaux ongles, Patricia Bozic
30 jours pour cesser de fumer, Gary Holland et Herman Weiss
30 jours pour perdre son ventre (pour hommes), Roy Matthews et Nancy Burstein
* **L'ablation de la vésicule biliaire**, Jean-Claude Paquet
Alzheimer — Le long crépuscule, Donna Cohen et Carl Eisdorfer
L'arthrite, Dr Michael Reed Gach
Charme et sex-appeal au masculin, Mireille Lemelin
* **Comment arrêter de fumer pour de bon**, Kieron O'Connor, Robert Langlois et Yves Lamontagne
Comment devenir et rester mince, Dr Gabe Mirkin
De belles jambes à tout âge, Dr Guylaine Lanctôt
Dormez comme un enfant, John Selby
Dos fort bon dos, David Imrie et Lu Barbuto
Être belle pour la vie, Bronwen Meredith
Le guide complet des cheveux, Philip Kingsley
L'hystérectomie, Suzanne Alix
Initiation au shiatsu, Yuki Rioux
Maigrir: la fin de l'obsession, Susie Orbach
Le manuel Johnson & Johnson des premiers soins, Dr Stephen Rosenberg
Les maux de tête chroniques, Antonia Van Der Meer
Maux de tête et migraines, Dr Jacques P. Meloche et J. Dorion
Mini-massages, Jack Hofer
Perdre son ventre en 30 jours, Nancy Burstein
Principe de la technique respiratoire, Julie Lefrançois
Programme XBX de l'aviation royale du Canada, Collectif
Le régime hanches et cuisses, Rosemary Conley
Le rhume des foins, Roger Newman Turner
Ronfleurs, réveillez-vous!, Jocelyne Delage et Jacques Piché
Savoir relaxer — Pour combattre le stress, Dr Edmund Jacobson
Soignez vos pieds, Dr Glenn Copeland et Stan Solomon
Le supermassage minute, Gordon Inkeles
Le syndrome prémenstruel, Dr Caroline Shreeve
Vivre avec l'alcool, Louise Nadeau

le jour, éditeur

Ouvrages parus au Jour

Affaires, loisirs, vie pratique

L'affrontement, Henri Lamoureux
Les bains flottants, Michael Hutchison
* **La bibliothèque des enfants,** Dominique Demers
Bien s'assurer, Carole Boudreault et André Lafrance
Le bridge, Denis Lesage
Le cœur de la baleine bleue, Jacques Poulin
Conte pour buveurs attardés, Michel Tremblay
* **La France à la québécoise,** André Bergeron et Émile Roberge
* **Le guide du répondeur bien branché,** Robert Blondin et Lucie Dumoulin
J'avais oublié que l'amour fût si beau, Évette Doré-Joyal
Jean-Paul ou les hasards de la vie, Marcel Bellier
Oslovik fait la bombe, Oslovik

Ésotérisme, santé, spiritualité

L'astrologie pratique, Wofgang Reinicke
Couper du bois, porter de l'eau — Comment donner une dimension spirituelle à la vie de tous les jours, Collectif
Le grand livre de la cartomancie, Gerhard von Lentner
Grand livre des horoscopes chinois, Theodora Lau
Grossesses à risque et infertilité — Les solutions possibles, Diana Raab
Les hormones dans la vie des femmes, Dr Lois Javanovic et Genell J. Subak-Sharpe
Les maladies mentales, John M. Cleghorn et Betty Lou Lee
Pour en finir avec l'hystérectomie, Dr Vicki Hufnagel et Susan K. Golant
Pouvoir analyser ses rêves, Robert Bosnak
Le tao de longue vie, Chee Soo
Traité d'astrologie, Huguette Hirsig

Essais et documents

* **1759 La bataille du Canada,** Laurier L. LaPierre
17 tableaux d'enfant, Pierre Vadeboncoeur
* **L'accord,** Georges Mathews
L'administration et le développement coopératif, Marcel Laflamme et André Roy
À la recherche d'un monde oublié, N. Laurin, D. Juteau et L. Duchesne
* **Les années Trudeau — La recherche d'une société juste,** T. S. Axworthy et P. E. Trudeau
* **Le Canada aux enchères,** Linda McQuaid
Carmen Quintana te parle de liberté, André Jacob
Le Dragon d'eau, R. F. Holland
* **Élise Chapdelaine,** Marielle Denis
* **Elle sera poète, elle aussi!** Liliane Blanc
En première ligne, Jocelyn Coulon

Expériences de démocratie industrielle — Vers un nouveau contrat social, Marcel Laflamme
***Femmes de parole,** Yolande Cohen
***Femmes et politique,** Yolande Cohen, Andrée Yanacopoulo et Nicole Brossard
Le français, langue du Québec, Camille Laurin
***Goodbye... et bonne chance!,** David J. Bercuson et Barry Cooper
Hiérarchie ethnique dans la grande entreprise, Jean-Marie Rainville
L'histoire des femmes au Québec, Le collectif Clio
Jacques Cartier - L'odyssée intime, Georges Cartier
La maison de mon père, Sylvia Fraser
Les mémoires de Nestor, Serge Provencher
Merci pour mon cancer, Michelle de Villemarie

Psychologie, vie affective, vie professionnelle, sexualité

Adieu, Dr Howard M. Halpern
Adieu la rancune, James L. Creighton
L'agressivité créatrice, Dr George R. Bach et Dr Herb Goldberg
Aimer, c'est choisir d'être heureux, Barry Neil Kaufman
Aimer son prochain comme soi-même, Joseph Murphy
L'amour lucide, Gay Hendricks et Kathlyn Hendricks
Apprendre à vivre et à aimer, Léo Buscaglia
Arrête! tu m'exaspères — Protéger son territoire, Dr George Bach et Ronald Deutsch
L'art d'engager la conversation et de se faire des amis, Don Gabor
L'art d'être égoïste, Josef Kirschner
Au centre de soi, Dr Eugene T. Gendlin
Augmentez la puissance de votre cerveau, A. Winter et R. Winter
Le burnout, Collectif
La célébration sexuelle, Ma Premo et M. Geet Éthier
Ces hommes qui ne communiquent pas, Steven Naifeh et Gregory White Smith
Ces vérités vont changer votre vie, Joseph Murphy
Comment aimer vivre seul, Lynn Shanan
Comment apprendre l'autodiscipline aux enfants, Thomas Gordon
Comment décrocher, Barbara Mackoff
Comment faire l'amour à la même personne pour le reste de votre vie, Dagmar O'Connor
Comment faire l'amour à une femme, Michael Morgenstern
Comment faire l'amour à un homme, Alexandra Penney
Comment faire l'amour ensemble, Alexandra Penney
Contacts en or avec votre clientèle, Carol Sapin Gold
Dire oui à l'amour, Léo Buscaglia
La dynamique mentale, Christian H. Godefroy
Ennemis intimes, Dr George R. Bach et Peter Wyden
Exit final — Pour une mort dans la dignité, Derek Humphry
Faire l'amour avec amour, Dagmar O'Connor
La famille moderne et son avenir, Lyn Richards
La fille de son père, Linda Schierse Leonard
La Gestalt, Erving et Miriam Polster
Le guide du succès, Tom Hopkins

L'homme sans masque, Herb Goldberg
L'influence de la couleur, Betty Wood
Le jeu de la vie, Carl Frederick
Maîtriser son destin, Josef Kirschner
Manifester son affection — De la solitude à l'amour, Dr George R. Bach et Laura Torbet
La mémoire à tout âge, Ladislaus S. Dereskey
Le miracle de votre esprit, Dr Joseph Murphy
Négocier — entre vaincre et convaincre, Dr Tessa Albert Warschaw
Nos crimes imaginaires, Lewis Engel et Tom Ferguson
Nouvelles relations entre hommes et femmes, Herb Goldberg
On n'a rien pour rien, Raymond Vincent
Option vérité, Will Schutz
L'oracle de votre subconscient, Dr Joseph Murphy
Parents gagnants, Luree Nicholson et Laura Torbet
Parlez pour qu'on vous écoute, Michèle Brien
* **La personnalité,** Léo Buscaglia
Le pouvoir de la motivation intérieure, Shad Helmstetter
Le pouvoir de votre cerveau, Barbara B. Brown
Le principe de la projection, George Weinberg et Dianne Rowe
La psychologie de la maternité, Jane Price
La puissance de la pensée positive, Norman Vincent Peale
La puissance de votre subconscient, Dr Joseph Murphy
Réfléchissez et devenez riche, Napoleon Hill
Retrouver l'enfant en soi, John Bradshaw
S'affirmer — Savoir prendre sa place, R. E. Alberti et M. L. Emmons
S'aimer ou le défi des relations humaines, Léo Buscaglia
Savoir quand quitter, Jack Barranger
Les secrets de la communication, Richard Bandler et John Grinder
Seuls ensemble, Dan Kiley
La sexualité expliquée aux adolescents, Yves Boudreau
Le succès par la pensée constructive, Napoleon Hill
La survie du couple, John Wright
Tous les hommes le font, Michel Dorais
Triomphez de vous-même et des autres, Dr Joseph Murphy
Trop peu de sexe... trop peu d'amour, Jonathan Kramer et Diane Dunaway
Un homme au dessert, Sonya Friedman
Uniques au monde!, Jeanette Biondi
Vivre avec les imperfections de l'autre, Dr Louis H. Janda
Vivre avec passion, David Gershon et Gail Straub
Vivre avec son anxiété, Isaac M. Marks
Volez de vos propres ailes, Howard M. Halpern
Votre corps vous parle, écoutez-le, Henry G. Tietze
Votre talon d'Achille, Dr Harold Bloomfield

---

* Pour l'Amérique du Nord seulement

Achevé d'imprimer au Canada
Imprimerie Gagné Ltée Louiseville